Chère lectrice,

Un mois de novembre torride, ça n'existe pas ?

Si, à condition de le passer en bonne compagnie, c'est-à-dire avec les romans de votre collection préférée. Car, ce mois-ci, les héroïnes audacieuses sont à l'honneur, chacune à leur façon. Lacey ne sait comment mettre Max dans son lit, bien qu'elle devine en lui *Un amant passionné* (1237). Julianna est sur le point de passer un contrat très chaud avec Lucas (*Un mariage impossible*, 1238). Paige n'hésite pas à prendre des risques face à son patron, Bruce Lexington (*Des ennemis si intimes*, 1240), et Catherine sait qu'elle pourrait se faire prendre *Au piège de l'amour*, mais fonce tout de même. Et parce qu'elle est persuadée d'avoir rencontré *Un homme fait pour elle*, Tracey va amener Grant à reconnaître l'amour là où il croit ne voir que du désir (1242).

Et puis, pour toutes celles qui ont craqué sur l'histoire des frères Quinn, Kate Hoffmann raconte ce mois-ci l'histoire de *Keely Quinn, fille d'Irlande*, ou l'étonnant roman d'une jeune femme qui découvre tout à la fois ses origines et la passion.

Alors, un mois de novembre torride, ça n'existe pas ?

Bonne lecture,

La Responsable de collection

Un amant passionné

DAWN ATKINS

Un amant passionné

COLLECTION ROUGE PASSION

*Cet ouvrage a été publié en langue anglaise
sous le titre :*
THE COWBOY FLING

Traduction française de
FLORENCE MOREAU

HARLEQUIN®

est une marque déposée du Groupe Harlequin
et Rouge Passion® est une marque déposée d'Harlequin S.A.

Illustration de couverture :
© LARRY WILLIAMS / CORBIS

© 2002, Daphne Atkeson. © 2003, Traduction française : Harlequin S.A.
83-85, boulevard Vincent-Auriol, 75013 PARIS — Tél. : 01 42 16 63 63
Service Lectrices — Tél. : 01 45 82 47 47
ISBN 2-280-08264-0 — ISSN 0993-443X

1.

— Regardez ! C'est la *Chose* !

A ce cri, Lacey Wellington se rua de derrière le comptoir pour se précipiter vers le vivarium. Pétrifiée, elle vit le python glisser hors de sa cage vitrée, passer sur l'affiche vantant les mérites de la *Chose* et continuer son bonhomme de chemin sur le plancher.

— Quelle horreur ! s'écria un petit garçon d'une voix stridente, qui traduisait à la fois son ravissement et sa peur.

A la main, il tenait encore le couvercle vitré de la cage qu'il venait de soulever, ouvrant la voie au python. Quant à sa mère, elle était littéralement terrorisée. Les cartes postales qu'elle n'avait pas encore payées voltigèrent à ses pieds.

— Il est parfaitement inoffensif, assura Lacey pour la tranquilliser, non sans se plaquer à son tour contre le mur pour ne pas entraver la progression de Monty Python.

C'était le surnom affectueux qu'oncle Jasper donnait au reptile quand ce dernier n'était pas en costume de scène. Pour son show du samedi soir, il était en effet muni d'écailles en feuilles de papier alu qui lui prêtait des allures de monstre et devenait la *Chose*, nom repris sur les panneaux publicitaires qui jonchaient la nationale menant jusqu'au *Bar des merveilles* et son vivarium. Oncle Jasper avait beau affirmer qu'il était aussi docile qu'un chat, il n'en restait pas moins une créature impressionnante. C'est pourquoi Lacey préférait s'effacer devant lui plutôt que de l'affronter directement. Elle jugeait préférable de ne pas trop contrarier la *Chose*.

Lorsqu'il fut hors de sa vue, la mère du petit garnement recouvra enfin la parole.

— Je t'avais dit de ne pas soulever ce couvercle, s'écria-t-elle à l'attention de son fils avant d'ajouter en se tournant vers Lacey : Je suis réellement désolée.

Là-dessus, sans demander son reste, elle attrapa vivement son fils par le bras et déguerpit à toutes jambes.

Lacey considéra durant quelques secondes les cartes postales abandonnées sur le sol. Dommage, elle ne les avait pas payées, déplora-t-elle avant de se ressaisir. Allons, elle avait d'autres chats à fouetter ! Encore qu'en l'occurrence, il ne s'agissait pas précisément d'un chat… Bon, elle devait trouver un instrument pour rattraper Monty, et vite ! Il risquait de se faufiler dans un endroit d'où elle ne pourrait le déloger. Elle scruta rapidement le vivarium : la pyramide de crânes, les amarantes géantes, le lynx à deux têtes, les scorpions… Rien qui puisse lui être d'un réel secours ! Son regard s'attarda ensuite sur les objets à vendre qui peuplaient l'étagère : des tasses, des cuillères de collections, des porte-clés et autres babioles sans utilité précise.

Soudain, elle repéra l'objet idoine : une tête de serpent en plastique placée au bout d'un long manche se terminant par une poignée qui permettait d'activer la gueule du serpent. Ainsi, en l'ouvrant, elle pourrait se saisir du vrai et le fourrer dans un sac plastique. Vite fait, bien fait.

Monty rampait à présent vers l'espace café. Pour la première fois depuis deux jours, Lacey se réjouit de l'absence de clients. Au moins, personne ne pousserait des cris paniqués en voyant le reptile glisser à ses pieds. Aujourd'hui, le petit polisson et sa mère étaient les uniques visiteurs de l'étrange

8

collection que Jasper avait peu à peu constituée en se promenant dans le désert d'Arizona. Lorsque l'enfant avait commis sa sottise, Lacey était tranquillement en train de préparer du café qu'elle s'apprêtait à leur servir, accompagné d'une tarte aux framboises et à la rhubarbe — l'unique spécialité d'oncle Jasper.

Oh non, elle venait de le perdre de vue. Mais où ? Un éclair zébra la pièce. Ce n'était que l'une des écailles de Monty qui reflétait la lumière. Ecaille oubliée depuis son dernier show auquel avaient assisté tout au plus six spectateurs ! Elle eut soudain l'impression d'avoir un pathétique dragon sans aile ni patte devant elle. Pauvre Monty ! Il se coulait à présent sur un banc, d'où il se hissa sur le rebord de la fenêtre. Il s'enroula ensuite autour de la plaque publicitaire pour Coca-Cola qui trônait au-dessus de la porte d'entrée, tirant désespérément la tête et la langue, à la recherche d'une cavité dans le mur qui lui permettrait de recouvrer définitivement sa liberté.

Génial ! Elle allait devoir grimper sur une chaise pour récupérer Monty. La situation se corsait, mais elle en viendrait à bout ! Depuis le début, elle avait pris le parti de s'en sortir seule. Elle avait instamment prié son frère Wade, le P.-D. G. de la Wellington Restaurant Corporation, de ne lui accorder aucun traitement de faveur quand il avait enfin accepté qu'elle travaille dans un de ses restaurants. Etait-ce pour cette raison qu'il l'avait envoyée dans ce trou perdu, ce resto qui coûtait plus qu'il ne rapportait à la société ? Peut-être. Elle était censée donner un coup de main à Jasper, leur oncle préféré, mais vu le nombre de clients… Il n'empêche qu'elle se réjouissait de cette affectation, car elle allait enfin pouvoir exercer ses talents de gestionnaire. Elle projetait en effet de révolutionner l'endroit.

Certes, elle était davantage rompue à la mise en œuvre de plans stratégiques qu'à la confection de crêpes dans un café perdu, au fin fond de l'Arizona, ou encore à la chasse aux reptiles… Néanmoins, il ne suffisait pas d'avoir en poche un mastère de gestion pour se lancer dans le monde du travail. N'affirmait-on pas qu'il n'y avait rien de tel que de se frotter aux réalités du terrain ? Pouvoir se vanter sur un C.V. d'avoir capturé un serpent constricteur de plusieurs mètres de long était du meilleur effet, quel que soit par ailleurs le poste convoité. Elle était prête à attraper des alligators à main nue pour allonger la liste de ses expériences professionnelles.

La fuite de Monty, c'était une épreuve que le destin lui envoyait, afin de tester la nouvelle Lacey, une femme qui avait décidé de prendre sa vie en main et d'agir exactement comme bon lui semblait, indépendamment du prix à payer. Elle viendrait à bout de ce serpent, compris ?

Armée de son jouet, elle monta sur une chaise pour être en mesure d'atteindre Monty. Non sans se rappeler, telle une litanie, les paroles rassurantes d'oncle Jasper sur le caractère parfaitement inoffensif de cet ancêtre du diplodocus… Elle prit soudain sa respiration, actionna la poignée et avança lentement la tête du serpent en plastique, gueule grande ouverte, vers Monty.

— Rien ne vaut sa chère maison, mon brave Monty, on n'est bien que chez soi, lui susurrait-elle à mi-voix, se prenant pour une charmeuse de serpent.

Tout à coup, elle se rendit compte que son instrument était des plus inadaptés, contrairement à ce qu'elle avait cru. Elle ne pourrait jamais l'attraper de cette façon. Non, elle devait y mettre les mains ! O.K. De nouveau, elle prit une large inspiration, tendit une main timide vers le python, redoutant déjà son contact gluant… Ce fut alors que, contre toute attente, la porte d'entrée heurta violemment la chaise sur laquelle

elle était juchée. Quelle idiote ! Elle avait oublié de fermer à clé. Il est vrai que peu de clients venaient perturber le cours tranquille de ses journées. Mais il fallait précisément qu'il en surgisse un au moment le plus fâcheux !

— Une seconde, s'il vous plaît ! cria-t-elle à l'attention de l'importun.

Qui ne prêta nullement attention à sa demande. De nouveau, la porte cogna contre sa chaise qui se déroba sous elle. Elle se raccrocha de justesse au rebord de la porte. Le serpent-jouet vint rejoindre la chaise sur le sol, tandis qu'elle agitait désespérément les jambes dans le vide. Cette fois, elle allait se casser quelque chose…

Soudain, deux bras virils entourèrent ses genoux. Elle poussa un cri.

— C'est bon, je vous tiens, vous ne craignez plus rien, annonça une voix masculine étouffée par… par ses propres jambes, réalisa-t-elle avec horreur en sentant le souffle de l'homme à travers le tissu de son pantalon en toile légère.

Il la jeta ensuite par-dessus son épaule, tel un vulgaire sac de pommes de terre. Elle se sentait profondément humiliée en même temps que le sang affluait à sa tête dans cette position inconfortable. Monty, c'était lui la priorité !

— Refermez la porte, ou il va s'échapper ! hurla-t-elle.

L'homme effectua alors une virevolte et la porte claqua.

— Merci, fit-elle. Et maintenant, pourriez-vous me poser par terre ?

L'inconnu s'exécuta et elle retrouva la terre ferme. Elle passa rapidement une main dans ses cheveux pour se recoiffer, puis remit tout aussi promptement de l'ordre dans ses vêtements. Ses yeux se posèrent sur son « sauveur », au moment où celui-ci découvrait Monty.

— On dirait qu'il y a un reptile au-dessus de votre porte, annonça-t-il d'un ton tranquille en tournant lentement la tête vers elle.

Ses yeux étaient aussi noirs que le cow-boy de la pub pour Marlboro et ils scintillaient d'un intérêt tout masculin pour une personne de sexe opposé. Un éclair amusé passa subitement dans ses prunelles. Si en plus cela le faisait rire…

— C'est la *Chose*, annonça-t-elle afin de retrouver une contenance.

Se penchant pour ramasser le jouet, elle avisa alors un Stetson couleur fauve sur le sol. Logique, c'était un cow-boy. Dans la bataille, son chapeau était tombé par terre. Elle le lui tendit, tout en pensant que son épaisse chevelure brune n'était nullement aplatie par le port quotidien du légendaire Stetson. Elle le dévisagea un instant. Mâchoires carrées, teint basané, larges épaules, chemise à carreaux relevée jusqu'aux coudes. Nul doute qu'il s'agissait d'un cow-boy pur jus. Etait-ce la première fois qu'elle en voyait un de si près ? se demanda-t-elle. Ce qui aurait pu expliquer le curieux trouble qu'elle ressentait.

— Merci, dit-il en prenant son chapeau.

Il retroussa alors lascivement le coin de ses lèvres, découvrant des dents d'une blancheur étincelante.

— J'étais prête à lui mettre la main dessus quand vous êtes entré, l'informa-t-elle d'un ton où perçait un reproche.

— Chasseuse de serpent ? Hum, hum, intéressant ! Et de quelle façon vous y prenez-vous ? En les effrayant avec un jouet à leur effigie ?

— C'était pour le maîtriser, rétorqua-t-elle.

— Oh, fit-il d'un ton cette fois carrément moqueur.

Idiote ! se fustigea-t-elle une deuxième fois avant de tenter de se justifier :

— Si vous ne m'aviez pas interrompue, il serait rentré au bercail.

Déjà, son chevalier servant en jean délavé ne l'écoutait plus, ayant reporté son attention sur le python, qui enlaçait toujours étroitement l'enseigne de Coca-Cola. Soudain, il se hissa sur la pointe des pieds, leva la main… et se saisit en toute simplicité de Monty. Elle sentit son sang bouillir. Tout comme son frère, ce cow-boy lui signifiait clairement qu'elle était une incapable !

— Merci, mais je pouvais parfaitement me débrouiller seule ! déclara-t-elle, piquée au vif.

Il se contenta de sourire, un sourire qui dévoilait sans peine ses pensées. Comment une femme de sa taille et armée d'un jouet comptait-elle livrer bataille à un serpent constricteur de plusieurs mètres ? Eh bien quoi ? Ce n'était pas parce qu'elle faisait un mètre soixante-huit et qu'elle avait les cheveux blonds qu'elle était un être fragile ! Ah, ce machisme latent avait le don de la mettre hors d'elle !

— Bon, je vous accorde que mes études de gestion ne m'ont pas préparée à la chasse au reptile, ajouta-t-elle, désireuse qu'il ne la prenne pas tout à fait pour une demeurée.

Ces paroles à peine prononcées, elle se mordit la langue : pourquoi éprouvait-elle le besoin de se justifier en face de ce cow-boy, incarnation par excellence du macho ?

— Je vois, dit-il d'un ton tranquille.

Lui, en revanche, avec Monty à moitié enroulé autour de son avant-bras bronzé et ses muscles bandés avait l'air d'un chercheur de têtes amazonien. Une légère ombre violette s'allongeait sous l'un de ses yeux. Probablement le résultat d'une bagarre dans un bar, conclut-elle.

— Où dois-je le déposer ? demanda-t-il le plus tranquillement du monde comme s'il s'agissait d'un sofa et qu'il était le déménageur de service.

— Dans le vivarium à côté, répondit-elle. Mais, donnez-le-moi ! Je vais le remettre moi-même dans sa cage.

A ces mots, une boule lui serra la gorge. Encore une fois, n'avait-elle pas parlé un peu précipitamment ? La pensée de ses écailles visqueuses contre son bras la répugnait.

— Etes-vous bien sûre ? lui demanda-t-il comme si, de nouveau, il lisait dans ses pensées.

— Absolument !

En un ultime effort de volonté, elle attrapa Monty à deux mains tandis que le cow-boy dépliait lentement son bras. Lorsque le reptile s'enroula autour du sien, elle sentit ses jambes devenir de coton. L'animal sentait-il sa peur ? Allait-il lui broyer le bras ? Aussi docile qu'un chat, affirmait Jasper. Voire ! Allons, elle pouvait le faire… et elle allait d'ailleurs le faire ! En dépit du regard sceptique de M. Macho en personne et de son cœur, ce traître, qui battait à tout rompre.

Raide comme un automate, elle se dirigea vers le vivarium. Cette expérience la rendrait plus forte, pensa-t-elle. Ce serpent n'était-il pas tout bonnement une métaphore ? Il représentait les chaînes qui tentaient de l'étouffer au sein de l'entreprise familiale de la Wellington Restaurant Corporation. Une métaphore, parfaitement !

Presque à l'agonie, elle se retrouva quelques minutes plus tard devant la cage de verre vide, sa métaphore toujours agrippée à son avant-bras. Le cow-boy retira le dessus de la cage, attendant qu'elle dépose le python. Le problème, c'était qu'elle avait épuisé tout son courage et que Monty venait de resserrer son étreinte. Il refusait de rentrer à la maison.

— Je peux vous aider ?

Se maudissant *in petto* pour sa faiblesse, elle acquiesça rapidement de la tête. Avec précaution, il déroula le serpent réticent, puis le plaça tout aussi délicatement dans son nid.

Il émanait de ce troublant inconnu des fragrances épicées, auxquelles venait se mêler une odeur de savon. Soudain, elle eut l'impression que son after-shave emplissait toute la pièce. Curieux sentiment, qui renforça son embarras après la pénible épreuve qu'elle venait de subir et qui s'était soldée par un ultime aveu de pusillanimité de sa part.

Pourtant, elle poussa un net soupir de soulagement en reposant le couvercle vitré.

— Je ne le tenais pas par le bon angle, crut-elle bon de préciser, en se sentant brusquement rougir sous son regard.

O.K., c'était un piteux mensonge. Elle avait eu peur, un point c'est tout. Un sentiment de déception la submergea. Elle avait la sensation d'avoir échoué ce premier test censé évaluer sa détermination nouvelle.

— Quand j'étais enfant, j'avais un cobra royal comme animal domestique, précisa-t-il en souriant gentiment.

C'était très gentil de sa part d'essayer de la consoler… Il n'empêche qu'il la considérait comme une faible femme et que cela lui déplaisait au plus haut point. Elle était ici pour faire ses preuves, c'était la raison pour laquelle elle avait accepté cette mission dans ce trou perdu de l'Arizona.

— Mon nom est Max McLane, poursuivit-il en lui tendant la main. Je travaille dans le ranch de l'autre côté de la nationale.

— Moi, c'est Lacey Wellington, dit-elle en lui serrant la main. Je suis de Phoenix, mais je donne un coup de main à mon oncle pendant quelque temps.

Max McLane avait une poignée de main énergique et la paume rugueuse. Un cow-boy plus vrai que nature, un homme tel qu'on n'en faisait plus. Rien à voir avec Pierce Winslow, le vice-président du service sanitaire de la Wellington Restaurant Corporation, un citadin sophistiqué jusqu'au bout des ongles et un rien collet monté, avec qui elle sortait et à qui son frère avait donné sa bénédiction.

Contrairement à Pierce, Max McLane connaissait la véritable signification du mot labeur. Il devait transpirer plusieurs fois par jour, alors que Pierce ne suait que sur un court de tennis. Et encore... Max McLane, lui, suait pour une raison louable.

Ils se jaugèrent pendant quelques secondes tout en se serrant la main, et un drôle de frisson la parcourut brusquement de pied en cap. Le genre d'émotion qu'une femme peut ressentir devant un homme, une envie brutale qu'il la prenne dans ses bras, et que... Bref, jamais elle n'avait éprouvé un sentiment semblable avec Pierce.

A l'éclair qui brilla dans les yeux de Max à cet instant, elle aurait juré qu'il ressentait exactement la même chose qu'elle.

— Qu'allez-vous poser dessus ?

— Pardon ?

— Sur le couvercle, afin d'éviter tout nouvel incident.

— Oh... ceci, fit-elle en se précipitant vers deux presse-papiers en bronze représentant deux scorpions.

— C'est parfait, approuva-t-il.

— Je crois que je devrais apposer un cadenas sur sa cage, déclara-t-elle, pensive, avant d'ajouter : Eh bien, je présume que vous n'êtes pas venu ici pour chasser le reptile ! Que puis-je vous servir ?

— Un café, s'il vous plaît.

Ses yeux reflétaient une indéniable intelligence doublée d'une franchise désarmante. Cet homme ne subissait aucun stress, il menait une existence naturelle et saine — aux anti-podes de la sienne. Soudain, elle sentit que ses prunelles la fixaient de façon tout aussi naturelle et lui envoyaient un message univoque : il avait envie d'elle. Waouh ! Elle n'était pas habituée à un échange si direct.

— Suivez-moi, lui indiqua-t-elle en détournant les yeux. J'étais justement en train de faire du café quand un gamin a soulevé ce maudit couvercle.

Elle se précipita alors dans l'espace café, sentant son regard brûlant scotché sur le bas de ses reins. Hélas, la cafetière était remplie d'une eau brunâtre et froide, au lieu du liquide noir et chaud qu'elle était censée contenir. Pour la troisième fois depuis le début de la matinée, elle se maudit intérieurement.

— Il faut appuyer sur le bitoniau, là, lui dit-il alors.

Elle suivit son conseil et la machine émit un sifflement.

— Ah, oui, c'est vrai, je ne suis pas habituée à ces vieilles machines, précisa-t-elle.

En réalité, elle n'était habituée à aucune machine à café, mais apprenait justement à manier ce genre d'objet, ainsi qu'à attendre le client et à tenir la cuisine — si tant est que l'on pouvait désigner ainsi la pièce dans laquelle Jasper préparait ses hamburgers trop cuits. Son objectif était de mieux saisir les rouages de l'entreprise familiale. Wade aussi avait commencé par là. Elle ne souhaitait pas être exempte de cette expérience, même si son frère affirmait qu'elle pouvait parfaitement s'en passer.

— Je dois avouer que je ne suis pas encore bien familiarisée avec les lieux et l'atmosphère, ajouta-t-elle par souci d'honnêteté.

Aujourd'hui, oncle Jasper s'était rendu à Tucson afin de commander une remise dans laquelle il comptait stocker ses sculptures, qui pour l'heure encombraient la réserve du restaurant. Car Jasper était un artiste qui, après avoir connu ses heures de gloire, était tombé dans l'oubli. Toujours est-il que Lacey lui avait assuré qu'elle pourrait se débrouiller

17

seule, au bar. Et il n'était pas plus tôt parti que Monty en profitait pour s'échapper !

— Qui serait dans son élément en pourchassant un python ? lui répondit Max, conciliant.

— En fait, je suis une femme d'affaires, lui confia-t-elle.

Prenant son mutisme pour du scepticisme, elle ajouta :

— Et je vais revoir tout le concept de cet endroit.

— Vraiment ? fit-il subitement intéressé.

— Oui, je veux transformer le *Bar des merveilles* et son vivarium en un salon de thé-brûlerie à café.

— Oh ! fit-il d'un air presque inquiet.

— Soyez sans crainte, nous avons toutes sortes d'autres marques de café. Et je veux élargir le choix des boissons chaudes en introduisant différents thés. En outre, nous continuerons à servir de la nourriture, mais un peu plus élaborée que celle que nous proposons actuellement. Nous confectionnerons des desserts exotiques et délicieux. Enfin, nous disposerons également d'un espace théâtre.

— Pardon ?

— Oui, nous ferons café-théâtre ou café-concert, ce sera selon. Toujours est-il que nous inviterons des groupes de musiciens, des comiques ou des troupes de théâtre. Vous paraissez dubitatif mais, vous verrez, ce bar deviendra un endroit très couru.

— Ici, au milieu de nulle part, un endroit très couru ?

— Mais précisément, assura-t-elle, les yeux brillant d'excitation. Nous sommes parfaitement bien situés. Tucson est à deux pas, c'est une ville pleine de vie et dont les habitants sortent beaucoup. Non loin de là, il y a un hôtel ranch et un centre de remise en forme. En outre, le genre d'endroits dont je vous parle est très en vogue en ce moment. Avec un peu de publicité, nous ferons un tabac.

Posant une tasse de café devant Max, elle le regarda droit dans les yeux pour sonder réellement ses pensées. Il était en train de fixer son décolleté ! Depuis le début, elle avait vu clair dans son jeu — à savoir qu'il assimilait les femmes à des objets de convoitise. Tout de même, il aurait pu s'y prendre de manière plus discrète.

— Vous avez quelque chose, là, dit-il subitement en désignant sa poitrine.

Elle baissa les yeux. Du café moulu avait volé sur son T-shirt. Elle se frotta rapidement à l'endroit indiqué et marmonna un vague merci tout en le fustigeant intérieurement.

— Je vous en prie, répondit-il, sourire lascif à l'appui.

Ah, le goujat ! Décidément, le genre d'homme à avoir des liaisons éclair et à déguerpir au petit matin. Pourquoi cette pensée la dérangeait-elle à ce point ? Et surtout, depuis quand éprouvait-elle une attirance pour les cow-boys ? Et d'ailleurs, devait-elle parler au pluriel ? Elle l'ignorait mais elle pouvait être sûre d'une chose : que ce rabat-joie désapprouverait ses plans.

— Cela ne va-t-il pas entraîner de gros frais ?

— J'ai établi un budget très sérieux, lui assura-t-elle, même si de ce côté-là, elle nourrissait quelques doutes.

Elle ignorait en effet si ses économies suffiraient à réaliser ce projet. Elle était gestionnaire, que diable, pas comptable !

— Et votre oncle, qu'en pense-t-il ? C'est lui le propriétaire, n'est-ce pas ?

— Non, il tient simplement le bar qui appartient à ma famille. Mais il me soutient dans mon projet.

Enfin, ajouta-t-elle mentalement, plus ou moins. Il était contre la fermeture du vivarium. Elle n'avait pas eu le cœur de trop le contrarier, mais elle l'avait prévenu : plus question que Monty se donne encore en spectacle. La *Chose* devait faire des adieux définitifs au public.

— Intéressant, fit Max même s'il avait exactement le même regard sceptique que Wade.

— Oui, ça l'est, renchérit-elle.

Elle les étonnerait tous. Wade pour commencer, et lui aussi, ce cow-boy incrédule, plus intéressé par son décolleté que par les projets qui fourmillaient dans son cerveau.

— Mmm, le café était délicieux, dit-il en terminant sa tasse.

— Voulez-vous goûter à la tarte de l'oncle Jasper ? Une spécialité aux framboises et à la rhubarbe.

— C'est-à-dire que…

— C'est la maison qui vous l'offre.

— Bon, puisque vous insistez.

Il jeta un regard suspect à la tarte qu'elle lui servit et avala une bouchée, en faisant de gros efforts pour garder le sourire. Puis son regard changea, comme s'il était surpris que la tarte fût si bonne !

— C'est très bon, lui dit-il.

— Dans quelque temps, nous en servirons encore de bien meilleures, lui dit-elle, l'œil pétillant. Attendez un peu que je prenne cet endroit en main, et…

La sonnerie du téléphone coupa court à leur conversation. Elle se précipita à l'autre extrémité du comptoir où se trouvait l'appareil.

— *Bar des merveilles* et son vivarium, bonjour.

— Qu'est-ce qui se passe ? demanda aussitôt son frère, à l'autre bout du fil.

— Mais rien, pourquoi ?

— Tu as l'air tendue.

Tendue, elle ? Pas du tout ! Elle venait juste de traquer un python et d'exposer le plus naturellement du monde à un

20

cow-boy qui la déshabillait des yeux des projets chers à son cœur — mais dont elle arrivait presque à douter elle-même ! La routine, en somme ! Pourtant elle préférait mourir, plutôt que d'avouer ses tourments intérieurs à son frère.

— Non, tout va bien, je t'assure. Ce que tu peux être anxieux, dit-elle en tournant résolument le dos à Max et en baissant d'un ton, de sorte qu'il ne puisse entendre sa conversation.

— Tu es ma petite sœur et je me fais du souci pour toi, c'est normal.

— Non, ça ne l'est plus, car je suis grande, maintenant.

Son aîné ne s'était-il pas encore aperçu qu'elle avait un mastère de gestion et qu'elle était apte à mener une vie indépendante ? Et à prendre des décisions toute seule !

— Eh bien, comment vas-tu ? Tout roule ?

— Bien sûr ! Que pourrait-il m'arriver dans ce bar tranquille et désert ?

Wade l'avait délibérément envoyée dans ce bled pour qu'elle s'y ennuie à mourir et rentre dare-dare à la maison. Mais elle lui donnerait une bonne leçon et ferait de ce bar l'endroit le plus branché de la région. Il allait être étonné ! Il se mordrait les doigts de ne pas l'avoir fait lui-même.

— Et comment va oncle Jasper ?

— Egal à lui-même. Je ne sais pas pourquoi tu penses qu'il n'est pas en forme. Il pète le feu.

Wade avait argué de la santé prétendument précaire de Jasper pour l'affecter dans ce coin paumé. En outre, il savait qu'elle éprouvait pour son oncle un amour quasi filial depuis la disparition de leurs parents, survenue tragiquement alors qu'elle était âgée de dix ans et lui de seize.

Enfant, Lacey avait vécu avec lui dans ce restaurant, à la fois fascinée et terrifiée par le vivarium et toutes ses étrangetés. Jasper avait une personnalité quelque peu excen-

21

trique, et elle adorait partir en vadrouille avec lui dans le désert ou lui prêter main-forte pour transformer de vieilles carrosseries en sculptures. Ses études l'avaient par la suite éloignée de Jasper. Pour sa part, un accident de chasse l'avait affaibli physiquement et il avait dû mettre un bémol à ses activités artistiques. En ce qui concernait le café, il était en semi-retraite, Wade ayant salarié une autre personne pour lui venir en aide. Lacey était heureuse de revenir sur les lieux de son enfance avec de si grands projets.

— Ecoute, Wade, reprit-elle, sois sans inquiétude. Je vais bien, Jasper aussi, le café aussi, le temps aussi, tout va bien, quoi. Alors, si c'est tout ce que tu voulais savoir, je...

— C'est bon, sœurette, ce n'est pas la peine de le prendre sur ce ton-là. Je voulais juste te dire de réserver au Baltimore pour tes fiançailles avec Pierce. Je sais que la fête n'aura lieu que cet hiver mais...

— Mes fiançailles ? s'insurgea-t-elle avant d'ajouter en chuchotant, et non sans jeter un rapide coup d'œil du côté de Max : j'organise une fête, pas mes fiançailles, compris ?

— Ne t'énerve pas, c'était juste une façon de parler.

— Eh bien, exprime-toi d'une autre façon, s'il te plaît. Nous n'avons d'ailleurs jamais abordé ce sujet, Pierce et moi.

Et pour cause ! Ce dernier pensait que l'affaire était entendue. Que, sous prétexte qu'il était vice-président, elle rêvait de l'épouser. Oh, elle ne rejetait pas entièrement la faute sur lui. Ils avaient fait connaissance par l'intermédiaire de Wade et étaient sortis très rapidement ensemble. Il ne lui avait pas mis le pistolet sur la tempe ! C'était d'ailleurs un garçon charmant, très bien élevé, on ne pouvait pas lui reprocher grand-chose, mise à part son assurance un peu agaçante. Personne n'était parfait, on était bien d'accord. Néanmoins, quand vous aimiez quelqu'un, vous étiez censé voir le soleil quand il surgissait dans une pièce, non ? Or, ce n'était absolument pas le cas lorsque Pierce se matérialisait devant elle. Aucun éblouissement ne se produisait. Elle ne ressentait nul transport. Au contraire, il l'ennuyait profondément. Elle était d'ailleurs persuadée que, de son côté, elle ne lui faisait pas non plus un effet extraordinaire. Il l'aimait bien parce qu'elle remplissait les cases « petite amie » dans son agenda. Non parce qu'elle était le soleil de sa vie.

— Tu sais pourtant qu'il veut t'épouser, insista Wade.

— Et moi, si je ne veux pas l'épouser, tu y as pensé ?

— Ne repousse pas cet homme parce qu'il se trouve que moi je l'aime bien, objecta Wade. Pierce est celui qu'il te faut.

— Et si je voulais un homme qui ne me convient pas ?

A ces mots, son regard se dirigea inconsciemment vers Max. Il était en train de manger sa part de tarte. Elle n'avait jamais pensé que cette simple occupation puisse se révéler un acte si potentiellement viril. Ses muscles se gonflaient chaque fois qu'il portait sa cuillère à sa bouche, et quelle mastication impressionnante !

— Vraiment, Lacey, comment veux-tu que je te prenne au sérieux ? Quand tu me dis des choses pareilles, je crois entendre une adolescente révoltée.

Adolescente, certainement pas, mais révoltée, c'était fort probable ! Peut-être avait-elle une conception trop romantique de l'amour, mais elle était sûre d'une chose : elle n'était pas amoureuse de Pierce. Et elle ne voulait absolument pas l'épouser.

— Pardon, mes mots ont dépassé mes pensées. Mais je t'en prie, ne prévois rien pour moi, O.K. ? Et quant à Pierce, je dois avoir de toute urgence une discussion sérieuse avec lui. A présent, si tu veux bien m'excuser, j'ai du travail.

— Du travail ? Les seules personnes qui s'arrêtent au *Bar des merveilles* sont des touristes égarés, à la recherche du *Musée du Désert*. Qu'essaies-tu de prouver, Lacey ? Tu n'as pas besoin de faire de stage professionnel quand un job t'attend dans les bureaux de la société.

— Je ne veux pas d'un poste bidon au service marketing juste parce que je suis la sœur du P.-D. G.

— Un poste bidon ? Tu exagères, et si tu veux tout savoir, je ne te souhaite pas les maux de tête que me vaut mon poste. Crois-moi, dans les écoles de commerce, ils idéalisent les responsabilités. La réalité est bien moins rose, on est soumis à de terribles pressions, il faut prendre des risques insensés. Nous avons des objectifs difficiles à atteindre et de délicates décisions à prendre. Alors, s'il te plaît, n'envie pas ce que tu ne connais pas.

Wade ne pouvait se départir de ce rôle protecteur, endossé à la mort de leurs parents. Le problème, c'était qu'il ne lui faisait absolument pas confiance et qu'il ne respectait pas sa personnalité. Mais elle allait lui prouver de quoi elle était capable ! Avec ses propres deniers et à la sueur de son front ! Bientôt, cet endroit regorgerait de clients bon chic bon genre qui viendraient déguster entre deux réunions une part de gâteau et une tasse de thé. Et le soir, tous les intellos de Tucson se retrouveraient ici pour assister à un spectacle encensé par la critique. Alors Wade serait bien obligé de la prendre enfin au sérieux.

— Je dois raccrocher, Wade, mes clients m'attendent.

— Très bien, mais tiens-moi au courant.

— Au courant de quoi ? Tu es exaspérant, tu…

— C'est bon, c'est bon, à bientôt.

— Salut.

Elle pivota sur ses talons. Max s'essuyait la bouche avec sa serviette en papier et encore une fois, que de virilité dans ce geste ! Elle aurait parié qu'il avait un tatouage quelque part sur le corps avec pour titre : Tombeur de ces dames !

Ou peut-être Briseur de cœur. Elle frissonna et rougit à la fois. Force était de l'admettre : les cow-boys, c'était vraiment son type d'homme.

Max sentait l'Ouest sauvage, brut de décoffrage. Elle aurait juré que lui, contrairement à Pierce, ne pliait pas sagement ses vêtements au pied du lit avant de faire l'amour. Non, il devait les jeter sauvagement dans la pièce avant de renverser sa compagne sur le lit et de se précipiter sur elle. Waouh ! Elle se sentit toute chavirée. Et éprouva la brusque envie d'être sa prochaine conquête.

Comme s'il devinait ses pensées, il lui décocha un petit sourire en coin et déclara :

— Quand et où tu veux…

— Pardon ? murmura-t-elle avant de réaliser qu'il avait simplement dit : « Mmm, c'était délicieux. »

Posant un billet sur la table, il rajusta son Stetson. Elle le trouva soudain si beau qu'elle sentit son cœur défaillir en le regardant s'éloigner.

— Monsieur McLane, s'écria-t-elle. C'était la maison qui invitait.

— Avec vos projets, vous devez budgétiser au plus serré.

Budgétiser ? Quel terme technique dans la bouche d'un cow-boy ! Curieux… Décidément, cet homme était bien étrange ! Peut-être était-il un peu sorcier à ses heures perdues. En tout état de cause, elle avait compris une bonne chose : une femme qui se sentait toute en émoi à la vue d'un inconnu mangeant un simple morceau de tarte ne pouvait pas décemment épouser son petit ami officiel. Elle devait avoir une sérieuse discussion avec Pierce et mettre les points sur les i. En outre, elle était trop occupée avec ses projets pour inclure Pierce dans sa vie. Projets qui en revanche pouvaient parfaitement s'accommoder de ce charmant cow-boy !

2.

La tarte d'oncle Jasper était réellement excellente, pensa Max en se dirigeant vers le ranch où il travaillait. Son corps entier était perclus de douleurs. Pas étonnant que les cow-boys aient les jambes arquées ! D'ailleurs, comment pouvaient-ils avoir des enfants, étant donné la dureté de la selle en cuir qui malmenait toute la journée leur virilité ? Par-dessus le marché, il se ressentait encore de sa chute dans le fossé d'irrigation, hier. Il avait dû se froisser quelque chose dans le dos. Sans compter les épines de cactus de l'avant-veille, dont il n'était pas encore tout à fait parvenu à se débarrasser. Il avait retenu un cri de douleur en tombant sur les fesses. Enfin, il était criblé d'ampoules pour le restant de ses jours.

Pour la première fois depuis son arrivée, il eut la nostalgie d'une belle feuille de calcul bien propre, sous Excel, avec un budget compliqué à établir. Bien vite pourtant, il rejeta cette pensée. Qu'il se rappelle combien son métier lui était devenu insupportable, il y a encore quelques semaines ! Non, il voulait apprendre à travailler avec ses mains, éprouver la satisfaction d'une journée de labeur dont on revenait physiquement épuisé, comme son père l'avait fait avant lui.

D'ailleurs, dès qu'il en aurait terminé ici, un job l'attendait au sein d'une équipe du bâtiment où il serait chargé des négociations entre acheteurs et fournisseurs. Voilà qui serait moins traumatisant pour son corps, mais qui lui permettrait de rester sur le terrain. Encore deux petits mois à tenir, le temps de se faire une idée précise du métier de cow-boy et il partirait vers de nouveaux horizons.

Oh, pensa-t-il avec horreur, il n'avait pas acheté le liniment que Buck, le contremaître, l'avait chargé de rapporter. Les cow-boys avec qui il partageait le bâtiment dortoir allaient être furieux. Son patron, pour sa part, partait souvent d'un gros rire devant les erreurs ou oublis qu'il commettait. Il n'en revenait toujours pas de la présence de ce col blanc au sein de son équipe. O.K., il concédait qu'il n'avait pas véritablement une vocation de cow-boy, mais n'était-ce pas tout à son honneur de vouloir essayer ?

Soudain, il se figea sur le seuil du ranch. Une bouffée de parfum féminin venait de lui monter au nez. Lacey Wellington ! Il mit le nez dans le col de sa chemise. Son odeur de marguerites épicées en avait imprégné l'étoffe, lorsqu'il l'avait jetée par-dessus son épaule, tout à l'heure. Son corps, si svelte, si sensuel, l'avait alors fortement troublé.

« Laisse tomber, McLane », lui conseilla une petite voix intérieure. La mission dont on l'avait chargé excluait un corps à corps plus rapproché avec Lacey Wellington. D'ailleurs, à propos des Wellington… Entrant dans la pièce principale de la bâtisse, il se dirigea vers le téléphone. Wade décrocha dès la première sonnerie.

— C'est Max, annonça-t-il. Ta sœur est saine et sauve, je te rassure.

— Ah, tu as enfin rencontré Lacey ?

— Oui, nous avons fait connaissance.

— Parfait ! Elle pense que tu es un cow-boy qui vient donner un coup de main dans la région, n'est-ce pas ?

— Oui, mais c'est réellement ce que je suis. D'ailleurs, j'ai le corps en compote et des bleus partout.

— Ah, la vie de cow-boy, ce n'est pas une sinécure, fit Wade, ironique.

— C'est bon, je survivrai.

Que les choses soient bien claires, jamais il ne s'était pris pour Clint Eastwood ! Avec un peu de chance, il espérait néanmoins éviter un coup de pied dans le visage de la part d'un taureau, furieux qu'on veuille vérifier si ses sabots ne pourrissaient pas. Soit dit en passant, quelle drôle d'idée ! Il ignorait que les sabots d'un tel animal courussent ce genre de risques. Passons ! Il accepterait de se plier aux mœurs et coutumes d'un ranch sans faire de commentaire. Tout ce qu'il demandait, c'était d'en réchapper sans handicap irrémédiable.

— J'ai l'impression que cette expérience va te ramener directement dans nos bureaux, dit Wade en éclatant de rire. Tu sais que je suis prêt à te reprendre si tu te ravises.

— Je te remercie mais, comme je te l'ai déjà dit, je ne veux plus être comptable.

Six mois plus tôt, Max avait collaboré de façon bénévole avec une association à but non lucratif, spécialisée dans la construction de maisons destinées à des familles sans ressources. Juste après la mort de son père, qui était un charpentier renommé, il avait trouvé une invitation de l'association dans la boîte aux lettres de ce dernier. Lorsqu'il avait décliné la proposition pour motif de décès, on lui avait alors indiqué qu'on avait également besoin de personnel non qualifié dans le bâtiment. Alors, sur une impulsion, il s'était engagé, à la mémoire de son père, et avait consacré tous ses week-ends à l'association. Pour se rapprocher de lui et de ses origines.

Après avoir vécu cette expérience et reçu la reconnaissance des familles qu'il avait aidé à construire leur propre toit, son métier de comptable lui avait paru bien terne. Désormais, il voulait faire carrière dans le bâtiment. Autrefois, son père avait travaillé dur pour pouvoir lui payer ses études, dénigrant constamment son métier manuel. Or, Max avait désormais l'impression que ce type de profession était une meilleure école de la vie que la comptabilité.

— Mais tu es un sacré bon comptable, s'insurgea Wade à l'autre bout du fil, relançant la discussion qu'ils avaient eue ensemble, trois semaines auparavant, lorsque Max avait démissionné du poste de comptable qu'il occupait au sein de la Wellington Restaurant Corporation, à Tucson. Pourquoi ne pas poursuivre dans ta branche ?

— Je sais ce que je fais, Wade.

Certes, il était reconnaissant à son ami de tout ce qu'il avait fait pour lui. Néanmoins, n'était-il pas temps pour lui de mener enfin sa vie comme il l'entendait — et non en fonction de ce que son père ou son meilleur ami attendait de lui ? Il se moquait de l'argent, ses besoins étaient modestes.

— Et avec Buck, comment ça se passe ?

— Bien, si ce n'est qu'il ne me prend pas du tout au sérieux, surtout depuis que je lui ai demandé où se trouvait la laverie automatique la plus proche. Je crois que là, j'ai perdu toute ma crédibilité à ses yeux. Il me prend pour un gay, c'est sûr.

— Tu n'avais qu'à lui dire que tu avais un rendez-vous avec une femme. D'ailleurs, c'était peut-être le cas. C'est bien toi qui m'as dit que rien ne valait une chemise propre pour séduire une fille. A la fac, quand je voulais sortir, j'allais me servir dans ton armoire.

Si Max avait pu intégrer l'Ecole supérieure de Claremont, c'était grâce à une bourse obtenue après le bac. Ses camarades plus fortunés, dont Wade faisait partie, ne s'en étaient visiblement jamais formalisés et l'avaient d'emblée considéré comme l'un des leurs. C'était un excellent étudiant, doté d'un sens de l'humour exceptionnel. Jamais il n'avait souffert du fait de venir d'un milieu modeste. Du moins jusqu'à ce que Heather entre en scène. Elle, en revanche, lui avait montré de façon magistrale qu'ils n'appartenaient pas au même monde. Elle avait bien voulu sortir avec lui pour le fun, mais quand l'envie lui prit de se marier, elle avait choisi un fils à papa. Ne jamais oublier d'où l'on venait, telle était la leçon que Max avait apprise. Il s'était juré de ne plus jamais fréquenter de filles superficielles. Le jour où il s'engagerait, ce serait avec une femme qui partagerait ses valeurs et l'aimerait pour ce qu'il était, et non pour ce qu'il possédait. De toute façon, il n'était pas du tout pressé de se marier. Loin de là. Il avait une nouvelle vie à explorer. Il n'avait que trente ans et toute la vie devant lui pour tomber amoureux.

— Tu sais, reprit Wade, l'arrachant à ses méditations, Buck m'a confié qu'il était heureux de votre collaboration. Tu lui rappelles son fils, qui travaille en ville mais revient tous les étés lui donner un coup de main, pendant ses vacances.

— Ah, son fils est gay ?

— Non, pas que je sache, répondit Wade en riant. Pour revenir à des choses plus sérieuses, je dois avouer que je suis très heureux que tu gardes un œil sur Lacey. Jasper me semble un peu trop dans les nuages pour faire un bon chaperon.

— Un chaperon, rien que ça ? Wade, nous sommes au vingt et unième siècle et ta sœur n'est plus une ado ! Mais si ça peut te faire plaisir que de temps en temps j'aille prendre un café chez elle, je le ferai volontiers.

Depuis qu'il avait fait la connaissance de Lacey, il était beaucoup moins fier du rôle d'espion que lui avait confié Wade. Au début, il avait été ravi que celui-ci lui ait trouvé ce job chez Buck, en attendant d'être engagé dans le bâtiment. L'idée d'être un cow-boy temporaire l'avait séduit, tant pour le défi physique que pour le contact quotidien avec la nature.

Cependant, avant qu'il ne parte, son ami lui avait demandé un petit service : surveiller discrètement sa sœur, Lacey, qui travaillait au *Bar des merveilles* et son vivarium — situé comme par hasard juste en face du ranch ! Wade espérait que Lacey allait bientôt se lasser de moudre du café et de vendre des cartes postales et qu'elle regagnerait rapidement Phoenix où un job bien plus intéressant et nettement moins risqué l'attendait. Pris au piège, Max avait bien été obligé d'accepter cette mission.

— Dis-moi plutôt comment elle s'en sort, demanda Wade. Pas de problème particulier ?

Max repensa au python et au jouet en plastique avec lequel Lacey entendait le rattraper. Il y avait aussi ses projets extravagants…

— Pour l'instant, non, mais elle envisage de transformer le bar en un salon de thé qui ferait aussi café-théâtre.

— Pardon ?

Alors Max lui confia le projet que Lacey lui avait exposé en toute innocence.

— Pour l'amour du ciel ! s'exclama Wade. Ça, c'est du Lacey tout craché, elle a la folie des grandeurs. Elle croit toujours qu'elle a quelque chose à prouver. Moi, je veux qu'elle ait un bon job, qu'elle se marie et soit heureuse. Mais elle, elle veut jouer avec le feu. D'où lui est venue cette idée complètement farfelue ?

— Je l'ignore, mais ce projet lui tient à cœur.

— Et bien sûr, je vais encore passer pour le rabat-joie de service qui va s'opposer à sa *super* idée ! Et sais-tu comment elle entend financer ce projet ?

— Avec des biens propres.

— Oh non ! Je ne peux pas la laisser faire. Autant qu'elle jette directement son héritage à la poubelle.

Certes, Wade avait raison. Lacey avait aussi peu de chance de transformer ce bar misérable en une affaire juteuse que lui de gagner un rodéo. Il n'empêche qu'il se sentait réellement l'âme d'un délateur. Il revoyait encore les grands yeux verts de Lacey, tout pétillants...

— Ah, reprit Wade, si je lui mets directement des bâtons dans les roues, je vais en entendre parler toute ma vie.

— Peut-être qu'elle rêvait juste à voix haute, suggéra Max.

— On voit bien que tu ne connais pas ma sœur. C'est une entêtée de première catégorie.

Max se rappela alors son insistance pour ramener Monty dans sa cage en dépit de sa peur manifeste. Cette fille avait du cran, on ne pouvait le nier. Mais elle était également vulnérable. Pas si sûre d'elle qu'elle ne voulait bien le montrer. Et si son frère la rabrouait, elle risquait de perdre confiance en elle.

— Je peux peut-être discuter avec elle pour tenter de la dissuader, avança-t-il.

— Crois-tu que tu pourras arriver à lui montrer gentiment la vanité de son projet ?

— Pas de problème, assura Max tout en se maudissant intérieurement.

Quel engagement irréfléchi ! Tout ça parce qu'il avait toujours eu un faible pour les intrépides aux yeux verts !

— Si tu l'en dissuades *toi*, elle ne saura jamais que c'est *moi* l'initiateur, ce sera génial. Elle ne se sentira pas blessée dans son amour-propre.

— Je présume que oui.

— Alors je compte sur toi, Max, pour lui démontrer que ce projet n'est pas viable et qu'elle serait bien plus heureuse en revenant à Phoenix où l'attendent un bon job et son fiancé.

— Son fiancé ? reprit Max en écho, en ressentant malgré lui un pincement au cœur.

— Oui, Pierce Winslow, il travaille pour moi, à Phoenix. Et qui plus est, c'est un très bon ami. Le mari idéal pour Lacey.

— Ah, c'est bien, fit-il, laconique.

Après tout, Lacey pouvait épouser qui elle voulait, ça ne le regardait pas du tout ! Il espérait néanmoins que ce Pierce était digne d'elle.

— Bon, tu ne la perds pas de vue, hein ? Essaie d'être un grand frère pour elle. Je t'abandonne provisoirement mon rôle. Toi, elle t'écoutera sûrement.

— Un grand frère, pas de problème.

Sauf que, quand il pensait à Lacey, il voulait tout faire sauf jouer les grands frères. Une fois qu'il eut raccroché, Max repensa à sa mission. S'il avait bien compris, il devait gagner la confiance de Lacey pour mieux la dissuader de se lancer dans un projet irréalisable, le tout sans heurter sa fierté. Quelle gageure ! Allait-il réussir ?

A présent, il ne pouvait plus se contenter de la surveiller de loin. Il était impératif qu'il fasse plus ample connaissance avec elle. Oh, oh, du calme, enjoignit-il immédiatement à sa libido. Cela devait se passer en tout bien tout honneur. Elle était fiancée à un type de la Wellington, alors elle n'accorderait jamais ses faveurs à un cow-boy — même si les regards qu'elle lui avait lancés tout à l'heure, tandis qu'elle téléphonait, étaient des plus suggestifs. Il soupira. Il ne restait plus qu'à espérer que le reste de la nourriture servie au *Bar des merveilles* et son vivarium soit aussi bon que la tarte aux framboises et à la rhubarbe, pensa-t-il, car selon toute vraisemblance, il allait y prendre de nombreux repas.

L'après-midi suivant, Lacey, les joues en feu, transportait un cône de glace en mousse de deux mètres de hauteur dans la cour — une des dernières créations d'oncle Jasper. Elle s'arrêta à mi-chemin pour éponger la sueur qui perlait à son front. Elle était censée surveiller le ménage et non pas le faire ! Hélas, le budget était si serré qu'elle n'avait pas vraiment le choix. Et elle ne pouvait guère compter sur oncle Jasper ou sur Ramòn, son homme à tout faire. Ce dernier, graffiteur de profession, avait en réalité été condamné à effectuer des travaux d'utilité publique auprès de Jasper pour avoir tagué l'une des sculptures que celui-ci avait conçues pour la ville de Tucson, quelque vingt ans plus tôt. La durée de sa peine avait expiré depuis bien longtemps, mais Ramòn était resté. D'ailleurs, le vieil artiste estimait que ces tags constituaient davantage un hommage qu'un acte de vandalisme. Désormais, Ramòn le secondait dans la conception de ses œuvres. Occasionnellement, il passait également la serpillière sur le sol du café et du vivarium, c'est-à-dire quand il le décidait lui, et certainement pas si on le lui demandait.

— Oh, je l'avais oubliée, celle-ci ! s'exclama soudain Jasper en touchant tendrement une fourche, censée représenter une chevelure de femme.

Il s'agissait d'une sculpture faite de matériau recyclé et figurant un couple en train de s'embrasser.

— Elle est très belle, mais nous devons débarrasser l'endroit, lui rappela Lacey. Ramòn, peux-tu nous aider ?

Ce dernier était en train d'appliquer de la peinture à l'aide d'un aérographe sur une feuille de métal. Ne pouvait-il donc pas mettre la main à la pâte et l'aider à déblayer la resserre, appelée à devenir l'espace théâtre dans son nouvel établisse-

34

ment ? Pour l'instant, la cour était jonchée de vieux appareils ménagers cassés, d'objets ayant connu leurs heures de gloire au vivarium et de vieilles sculptures de Jasper. Demain, une nouvelle remise devait arriver, où l'on stockerait les choses dont on ne voulait pas se débarrasser.

Exténuée, Lacey s'assit soudain dans un vieux fauteuil en cuir défoncé et contempla le spectacle. On aurait dit qu'un formidable cyclone avait soufflé sur la cour. En outre, les sculptures évoquaient des thèmes étranges. Il y avait un immense totem, constitué de divers appareils électroménagers, un « cactus » piqué d'innombrables cure-dents et un bidon d'huile constellé de balles de tennis peintes. Et encore, elle n'avait pas tout vu, l'intérieur regorgeait d'objets encore plus extravagants. Le découragement s'abattit sur ses épaules. Elle se sentit soudain semblable à cette princesse d'un conte de son enfance, condamnée à vider une rivière avec un tamis. Serait-elle à la hauteur de son entreprise ? se demanda-t-elle soudain. Décidément, tout n'était qu'une question de budget, et si elle avait disposé de davantage de fonds…

Son oncle admirait ses anciens travaux. Depuis plusieurs années, il se contentait de sculptures plus petites, mais visiblement il avait un penchant pour le gigantisme. Elle ne put s'empêcher de sourire tendrement. Oncle Jasper et elle se comprenaient si bien. Bon, il était manifeste qu'elle ne devait pas attendre une grande aide de sa part — et encore moins de son acolyte ! Elle devrait louer les services d'un homme à tout faire, en plus de l'ouvrier déjà retenu pour la plomberie, la cuisine et les travaux de menuiserie, ceux notamment concernant la scène.

Subitement, son regard se porta de l'autre côté de la nationale. Max McLane était en train de réparer une jeep devant le ranch. La vue de ses longues jambes musclées dépassant de dessous la voiture fit accélérer le battement de son cœur. Ah, un cow-boy doublé d'un mécanicien ! Ses fantasmes les plus secrets resurgissaient au galop. Pierce pouvait toujours repasser ! Il… La sonnerie de son portable l'arracha subitement à ses rêveries.

— Bonjour, Wade, s'exclama-t-elle en s'efforçant de ne pas paraître agacée par son appel.

— Ce n'est pas Wade, c'est Pierce.

— Oh, Pierce, salut.

Elle prévoyait de l'appeler ce soir, après avoir préparé un petit discours de rupture. Elle avait horreur de rompre par téléphone, mais elle préférait être un peu brutale, plutôt que de le tromper — et qui plus est avec un cow-boy.

— Qu'est-ce qu'il y a ? On dirait que tu es tout essoufflée.

— Non, non, fit-elle, énervée. Mais… nous devons parler, tous les deux.

— L'heure semble grave, fit-il, ironique.

— Ecoute, Pierce, je déteste faire ça par téléphone, mais…

— O.K., Lacey, Wade m'a dit que tu ne pourrais pas te libérer ce week-end. Moi en revanche, je peux venir te voir. On dînera en tête à tête et puis on reparlera de la fête et de nos projets communs. On pourra sceller l'affaire.

— Sceller l'affaire ? Mais de quoi s'agit-il ? D'une fusion ?

— Arrête, Lacey, tu sais très bien de quoi je parle. Allons, on ne va pas aborder ce sujet au téléphone, je déteste parler sentiments à distance…

Faisant une pause, il reprit à voix basse :

— Je t'aime, Lacey, voilà, c'est ce que tu veux entendre, non ?

36

— Non, rétorqua-t-elle, ne crois pas que cela me fasse plaisir de t'entendre me dire que tu m'aimes. Il n'y a pas d'amour entre nous, Pierce, mais des habitudes et de l'inertie.

— De l'inertie ? Ah... tu fais allusion à la dernière nuit que l'on a passée ensemble. Désolé, mais j'avais eu une journée difficile, j'étais épuisé et...

— Je ne te parle pas de sexe, Pierce.

— Mais de quoi alors ? Je ne comprends plus. Lacey, regarde les choses en face, toi et moi, on est faits l'un pour l'autre, on forme vraiment le couple idéal. Que veux-tu de plus ?

De la passion, une intimité plus intense, une affinité d'âme, voilà ce qu'elle voulait de plus. Mais inutile de lui faire part de ses sentiments.

— Notre relation est insatisfaisante, aussi bien pour toi que pour moi.

— Lacey, tu lis trop de romans d'amour, lui reprocha-t-il d'un ton agacé. La vie, ce n'est pas comme dans les romans. Sois réaliste, s'il te plaît.

— Justement, je le suis. Ne comprends-tu pas qu'il manque quelque chose à notre relation ? Par exemple, quand nous nous voyons, est-ce que ton cœur déborde de joie ?

— Que vas-tu encore chercher ? Le mariage, c'est un partenariat, pas une histoire de mandoline et de fleurs. Et toi et moi, on est de super partenaires.

Décidément, Pierce ne connaissait que la terminologie commerciale !

— Toi comme moi méritons mieux, c'est tout. Depuis que je suis ici, je vois les choses bien plus clairement.

Insidieusement, son regard dériva vers le beau mécanicien sous la jeep. Charmant tableau, vraiment ! Un long blanc s'établit entre eux, puis Pierce reprit :

— Arrête, Lacey, ce que tu dis ne te ressemble pas.

— Détrompe-toi, pour la première fois, j'ose enfin être vraiment moi-même.

— Inutile d'épiloguer par téléphone. Je ne veux pas te brusquer. Le mariage est une chose sérieuse et...

— Je t'en prie, Pierce, ce n'est déjà pas facile, ne complique pas encore les choses. Sois honnête avec toi-même et avoue que j'ai raison.

— Lacey...

— Tu trouveras la femme qu'il te faut, Pierce, mais ce n'est pas moi, c'est tout, lui dit-elle sur un ton plus doux, peu désireuse de le blesser.

Soudain, elle s'aperçut que Jasper tentait de déplacer une sculpture bien plus lourde que lui. Mon Dieu, le tout allait chavirer... !

— Désolée, ajouta-t-elle rapidement, mais je dois aider Jasper. Pense à ce que je t'ai dit. Au revoir.

Là-dessus, elle remit son portable dans sa poche et se précipita vers son oncle.

— Oh, je crois que j'ai surestimé mes forces, lui dit-il, essoufflé.

Son visage cuivré était couvert de sueur et sa poitrine était également toute rouge.

— Viens te mettre à l'ombre, lui conseilla sa nièce.

Elle se maudissait de ne pas l'avoir surveillé plus étroitement. Elle savait pourtant qu'il n'avait pas le sens des limites. Elle le força à s'asseoir sur un banc à l'ombre, près de l'entrée du bar.

— C'est un travail trop dur pour toi.

A cet instant, Ramòn émergea de la remise. Lâchant ce qu'il tenait à la main, il se précipita vers le vieil homme.

— Mon Dieu, que se passe-t-il ? s'écria-t-il sur un ton alarmé.

— Rien, Jasper en a trop fait, c'est tout. Peux-tu aller lui chercher un verre d'eau et une serviette mouillée ?

Ramòn bondit à l'intérieur.

— Ah, je suis si heureux de revoir toutes ces vieilleries, fit Jasper en souriant. Mais peut-être suis-je trop âgé, maintenant, pour continuer.

— Que dis-tu là, oncle Jasper ? se récria Lacey. Au contraire, tu devrais te consacrer davantage à ton art, si cela te rend heureux.

— Tu crois ? Sur la route qui nous ramenait de Tucson, hier, j'ai repéré un vieux châssis et une essoreuse à vêtements toute rouillée. Des radiateurs aussi. Un vrai trésor, en somme. Hélas, il n'y a pas de place pour tout ça, ici, n'est-ce pas ?

Hum, hum, si cela ne s'appelait pas du chantage affectif… Heureusement, Ramòn revint à cet instant, un verre à la main, une serviette dans l'autre, ce qui fit une heureuse diversion. Mais il repartit aussitôt pour préparer un petit en-cas.

— Enfin, je suis trop vieux, insista Jasper en poussant un soupir à fendre le cœur. Si seulement on avait plus d'espace !

Trop entêté, oui !

— On pourra toujours faire agrandir, concéda-t-elle.

— Excellente idée, répartit Jasper, soudain ragaillardi. Tu sais, il suffit d'un préfabriqué, ce serait parfait, ils en vendent chez Quonset à des prix imbattables.

— Vraiment ?

— Oui, je pourrais ainsi avoir un véritable atelier, au lieu de cette petite remise que…

— Ecoute, oncle Jasper, nous y penserons quand l'endroit rapportera et…

— Mais tu sais, ça ne coûte rien ce genre de choses. Et puis, je me contenterai de peu. Il faudra juste faire installer l'électricité, pour mes outils, bien sûr.

— Nous verrons, nous verrons. Je les appellerai.

Au fur et à mesure que Jasper s'excitait, elle voyait son budget partir en fumée.

— C'est-à-dire…, reprit Jasper, un peu gêné. En fait, hier, je l'ai déjà commandé. C'est comme la petite remise initialement prévue, tu sais…

Oh non ! Son esprit d'entreprise se heurtait à une sérieuse concurrence en la personne d'oncle Jasper. Mais il avait l'air si heureux. Elle ne pouvait gâcher sa joie par des considérations bassement matérialistes.

— J'ai fait de mon mieux avec ce que j'ai trouvé, annonça Ramòn en ressortant du café, une assiette fumante à la main.

— Tu aimes faire la cuisine, Ramòn ? demanda Lacey d'un ton détaché.

— Mouais. J'ai déjà occupé un poste de cuisinier.

— Tu pourrais donner un coup de main, en cuisine, dans notre nouveau café ? Bien sûr, j'augmenterai ton salaire.

— Dans ces conditions, pourquoi pas ?

— Alors, c'est entendu, tope là ! lui dit Lacey.

Elle était très fière de la reconversion qu'elle venait d'opérer en la personne de Ramòn. Si ce n'était pas une gestion rationnelle du personnel, ça ! Allons, elle devait croire en elle-même. Chaque fois que son frère avait douté d'elle, elle avait perdu tous ses moyens. Même chose avec Pierce. Tiens, en parlant de lui… Il ne croyait pas que tous les deux c'étaient fini, non, il doutait de sa détermination. Pourtant, elle, elle en avait définitivement terminé avec lui. Elle allait pouvoir commencer autre chose, avec quelqu'un d'autre.

De nouveau, elle coula un regard vers la jeep. Max McLane, c'était lui qu'elle voulait. Oui, elle voulait coucher avec lui, voilà c'était dit ! Pourtant, elle n'était vraiment pas le genre de femme à accumuler les aventures. Elle avait eu quelques relations stables avec des garçons convenables, enfin deux ou trois, mais jamais de liaisons torrides et éphémères, comme les hommes en vivaient constamment. Et cette idée la grisait. Elle voulait faire souffler un vent de liberté sur son existence. Vivre un peu avant de s'installer. Connaître une liaison fondée uniquement sur le sexe. Une passion sauvage, peu durable mais qui lui permettrait de sonder ses désirs et qui lui servirait lorsqu'elle tomberait véritablement amoureuse. D'ailleurs, puisqu'elle avait décidé de révolutionner sa vie professionnelle, autant englober dans la foulée sa vie privée.

Max arrivait à point nommé. C'était un cow-boy, l'aventurier par excellence. Avoir une liaison avec lui lui permettrait de se débarrasser de ses anciens oripeaux et de se lancer dans une nouvelle vie. Oh ! elle ne souhaitait pas accumuler les aventures sans lendemain, non, juste voir à quoi cela ressemblait. Ce serait une déclaration romantique d'indépendance. Sur fond de feux d'artifice.

La question était de savoir si Max, de son côté, serait intéressé… Oh, oui, elle en aurait mis sa main au feu ! Dès l'instant où il s'agissait de coucher avec une femme, un cow-boy ne disait jamais non.

Parfait ! Mais à présent, comment l'aborder ? Difficile de traverser la nationale et de lui déclarer de but en blanc qu'elle voulait coucher avec lui. Et si elle l'invitait à prendre un verre au Carlton ? Ils avaient des suites fort confortables. Sauf que ça ne devait pas correspondre à ses habitudes. Non, il était préférable de lui proposer de prendre une bière dans un saloon de son choix et de s'en remettre à lui pour le reste des opérations. D'ici peu, elle verrait l'amulette qui, à n'en pas douter, était tatouée sur son corps.

3.

« Change le filtre à air et vidange l'huile », lui avait dit Buck.

Rien de bien sorcier, en somme, d'autant qu'il avait déjà fait ce genre de choses, lorsqu'il était étudiant et qu'il se servait encore du vieux pick-up déglingué de son père. Hélas ! Le dessous de la jeep se présentait d'une tout autre façon et le manuel d'utilisation n'était pas franchement d'une grande aide. Armé d'une clé à molette, il tentait de dévisser un bouchon qui, supposait-il, lui donnerait accès au carter. A moins qu'il ne fût en train de s'échiner sur une bielle ou un piston…

Oh, et puis m… ! Passablement énervé, il laissa échapper une bordée d'injures. Pourquoi ce maudit bouchon lui opposait-il tant de résistance ? Ce fut alors que les graviers crissèrent. Il tourna la tête… et aperçut deux rangées d'orteils peints en rose vif, logés dans des sandales à talons hauts.

— La vie est belle, vue de dessous ?

Lacey Wellington !

A cet instant, elle s'agenouilla et son charmant minois entra dans son champ de vision.

— Je vidange l'huile, expliqua-t-il.

— Et ça ne se passe pas comme vous le souhaitez ?

— Si,... tout... va... bien, répondit-il en donnant un tour de clé à molette entre chaque mot.

Sacré bouchon ! Il ne bougeait pas d'un pouce. Nom d'un chien, il n'arriverait jamais à le desserrer !

— Ah bon ? Eh bien, quand ça ne va pas, je ne voudrais pas être là pour entendre ce que vous dites. Je vous ai entendu jurer de l'autre côté de la nationale.

A la faveur d'un coup de vent, son parfum, si caractéristique, s'engouffra sous la jeep. L'effet fut instantané : ses reins se creusèrent de désir. Sans compter ce regard qui ne perdait pas une miette de ce qu'il faisait. Son commentaire, tel un verdict, allait tomber, il le sentait.

— Vous n'arriverez à rien sans récipient ! décréta-t-elle.

Qu'est-ce qu'il disait ? Il poussa un soupir énervé. Avait-il réellement besoin qu'elle vienne le déconcentrer avec son corps vibrant de vie et ses orteils aussi appétissants que des friandises ?

— Je sais ce que je fais, marmonna-t-il.

A cet instant, la clé lui glissa des mains — l'écorchant au passage —, le bouchon céda et une huile épaisse et noirâtre jaillit du carter. Il détourna la tête. Trop tard : il était tout maculé de graisse. Il en avait même jusque dans la bouche.

— Pouah, fit-il en crachant.

Il s'extirpa de dessous la carrosserie et s'assit sur les graviers, tout en secouant sa main blessée dont il aurait sucé la plaie si sa bouche n'avait pas eu cet affreux goût d'huile de moteur usée.

— Fils de... marin ! jura-t-il.

— Attendez, fit Lacey, je vais vous chercher quelque chose.

Quelques secondes plus tard, elle revenait, triomphante, avec un vieux chiffon qui traînait dans le garage.

— Ça va aller, ça va aller, lui assura-t-il, en tentant de s'essuyer le visage avec le dos de sa main valide.

— Mais… vous saignez ! Ne bougez pas, je vais chercher la trousse des premiers secours, au café.

Là-dessus, elle lui fourra le chiffon dans la main et s'éloigna en courant, tandis que ses sandales claquaient sur l'asphalte. Malgré lui, ses yeux tombèrent sur son adorable postérieur qui ondulait au rythme de sa course.

Une fois qu'elle fut partie, il se releva, retira son T-shirt et se dirigea vers le robinet, près du garage, pour se savonner. Elle avait eu raison de suggérer le récipient. S'il l'avait écoutée… Mais bon, quelle idée de venir le troubler de la sorte avec son parfum et ses orteils. Sans elle, bien sûr, il aurait pensé, à ce fichu récipient !

Le bruit de ses sandales retentit de nouveau. Il se retourna. Elle accourait vers lui, une bouteille d'eau oxygénée à la main, une bande de gaze flottant derrière elle de l'autre. Ses seins rebondissaient gracieusement. Oh, oh, il devait se calmer. Elle s'arrêta net devant lui, écarquillant de grands yeux. Eh bien quoi, elle n'avait jamais vu un homme torse nu ?

Pas de tatouage ! pensa Lacey, un rien déçue. Mais c'était bien le seul reproche qu'elle pouvait formuler devant cette superbe poitrine bombée. Ses muscles étaient parfaits — pas exagérément gonflés comme chez certains hommes —, son estomac bien plat, sans la moindre once de graisse. Il s'était passé la tête sous le robinet, de sorte que des gouttes perlaient de ses cheveux trempés sur son front. Waouh ! Quel érotisme !

N'était-ce pas le moment idéal pour abattre ses cartes ? La scène où, dans un film d'aventures, l'héroïne soigne le héros atteint par une balle et où ils tombent dans les bras l'un de l'autre.

— Je vous assure, ça va, protesta Max en levant les mains pour éviter son coton imbibé d'eau oxygénée.

— Il faut désinfecter la plaie, insista-t-elle d'une voix qui lui parut soudain bien sexy.

Il n'osa pas protester davantage et bientôt le coton recouvrit sa main.

— Aïe, ça brûle !

— Cessez de vous conduire comme un bébé !

La réponse avait fusé malgré elle, elle la regretta sur-le-champ. Ce n'était pas en remettant en cause la virilité d'un homme qu'on allait le séduire !

— Excusez-moi, ajouta-t-elle précipitamment.

Elle appliqua alors avec délicatesse un morceau de gaze sur la plaie, puis, avec ses dents, découpa un bout de ruban adhésif… qu'elle laissa malencontreusement échapper et qui vient atterrir sur l'avant-bras de Max.

— Oh, fit-elle en tentant de le reprendre.

— Aïe ! Au cas où vous ne l'auriez pas remarqué, j'ai des poils sur les bras.

— Désolée, mais si je le retire d'un coup, ce sera moins douloureux que si je l'enlève progressivement.

Alors, se mordant la lèvre inférieure, elle tira sur le scotch. Il poussa un soupir de douleur.

— Je suis navrée…

— Sûrement pas autant que moi !

Décidément, la scène ne se passait absolument pas comme au cinéma ! Tout allait de travers. Normalement, à cet instant, leurs regards auraient dû s'enchaîner et la tension sexuelle monter de plusieurs crans entre eux. A la place, elle venait de lui arracher quelques poils en retirant son bout d'adhésif et, s'il ne l'avait pas insultée, c'était juste parce qu'il était bien élevé. Elle termina le pansement en prenant garde de ne commettre aucun nouvel impair.

— Voilà, lui dit-elle, c'est fini.

Le moment n'était-il pas venu de lui proposer d'aller prendre un verre de bière ? s'interrogea-t-elle en relevant les yeux vers lui.

— Merci, dit-il. Bon, je dois y retourner.

— N'oubliez pas de mettre un récipient sous le carter, sinon vous serez de nouveau aspergé d'huile.

— Pour une fille qui ne sait pas faire du café, vous vous y connaissez bien en mécanique, fit-il, presque irrité.

— Quand j'ai passé mon permis, j'ai suivi une formation en mécanique, si vous voulez tout savoir. La mécanique n'est pas l'apanage des hommes. Quant à mon café, était-il donc si infâme que cela ?

— Non, répondit-il en soupirant. Désolé d'être désagréable, mais... je n'ai pas besoin d'aide, O.K. ?

Inutile de se fâcher ! Cette fois, elle avait compris. Elle venait tout simplement de commettre un véritable sacrilège en donnant des conseils de mécanique à un macho. Quelle gourde !

— Je me sens redevable pour le python, ce doit être pour cela.

A cet instant, leurs regards s'enchaînèrent. Enfin... ! Prenant sa respiration, elle se lança :

— Je pensais que... nous pourrions peut-être... euh... aller prendre une bière tous les deux ?

— Pourquoi pas dîner ? renchérit-il immédiatement. Hein, qu'en dites-vous, un petit dîner dans un resto sympa ?

— Entendu !

Finalement, c'était simple, pensa-t-elle. Il avait juste fallu un peu de graisse, de sang et un bleu à l'ego. Bah, qu'est-ce que c'était, quand on voulait atteindre un but ?

46

Jackpot ! se dit-il de son côté en en frissonnant presque. Elle lui était tombée dans la main comme un fruit mûr. Durant ce dîner, il entendait bien la faire parler.

— Je passe vous prendre à 7 heures, ce soir ? proposa-t-il.

— Super. J'habite dans ce mobile-home là, dit-elle en désignant un préfabriqué bleu non loin du café. A tout à l'heure.

Il la regarda onduler vers la nationale, laissant dans son sillage son délicat parfum de fleurs de printemps. Incroyable ! Il avait un rendez-vous avec Lacey. Le problème, c'était que l'enthousiasme qu'il ressentait tenait moins au service qu'il était censé rendre à Wade qu'à la troublante Lacey. A la façon qu'elle avait de mordre sensuellement sa lèvre inférieure, et ou encore de plonger son regard vert émeraude dans le sien.

Allons, ce rendez-vous était d'ordre strictement professionnel, se rappela-t-il. Il avait une mission à remplir. Soudain, il fronça les sourcils. Certes, il avait invité Lacey à dîner, mais… n'était-ce pas elle qui, la première, lui avait proposé d'aller prendre un verre ? Pourquoi ? Lui, il avait une bonne raison de l'inviter, mais elle ? Que recherchait-elle ? De la compagnie, un peu de chaleur humaine ? Probable. Pourvu que ce ne fût pas davantage ! pensa-t-il soudain paniqué. Que ce ne fût pas, par exemple, la chaleur de son corps qu'elle convoitait. Car, à la manière dont elle avait insisté pour le soigner, il devinait que c'était une femme entêtée. Et il n'avait pas envie de commencer un bras de fer avec sa conscience.

Il lui fallut deux bonnes douches pour se débarrasser de cette graisse visqueuse, mais à 7 heures tapantes, il se présenta devant le mobile-home de Laccy, dans la jeep réparée de Buck, qu'il avait par ailleurs astiquée de fond en comble. Elle rutilait, propre comme un sou neuf. Un peu trop, peut-être…

Lacey l'attendait sur le seuil du mobile-home, moulée dans une robe si sexy que son cœur cessa de battre durant quelques secondes. L'étoffe rouge, en stretch et à smocks, épousait sa silhouette élancée comme une seconde peau, couvrant à peine ses seins hauts et fermes, et descendant tout au plus à mi-cuisse.

S'il ne comprenait pas le message, c'était qu'il était vraiment demeuré. Plus la robe était cintrée et courte, plus on avait de chance de coucher avec la femme qui la portait, c'était une équation d'une simplicité enfantine. Bien…. Et maintenant, comment allait-il tirer son épingle du jeu ? Elle ne lui avait pourtant pas donné l'impression d'être le genre de fille à coucher dès le premier rendez-vous. D'ailleurs, n'était-elle pas fiancée ? En dépit de toutes ces interrogations, une chose était claire : son corps à lui avait capté le message. Et définitivement, sans ambiguïté.

Il descendit du pick-up et elle chaloupa vers lui dans son carré d'étoffe moulante.

— Vous êtes très en beauté, ce soir, observa-t-il.

C'était le moins qu'il pût dire. Il aurait été encore plus maladroit d'ignorer son apparence. Quel corps, nom d'un chien ! Ferme et musclé, et avec ces boucles qui cascadaient dans son dos, c'était à vous rendre fou. Waouh ! Il devait se ressaisir. Mais même s'il ne fixait que son visage, comment ne pas être immédiatement aspiré par ses immenses yeux vert lagon ? Cette femme était la boîte de Pandore de tous ses fantasmes.

Il l'aida à grimper dans le pick-up, détournant les yeux au moment opportun.

— Merci, dit-elle une fois assise.

48

Dans cette position, la robe remontait jusqu'en haut des cuisses. Des cuisses qu'elle avait fines et bronzées. Dépourvues de collants, cela allait de soi ! Il aurait voulu hurler. Il repensa au dernier match de base-ball auquel il avait assisté, afin de se changer les idées.

— Vous aussi, vous n'êtes pas mal du tout, lui dit-elle alors. Vous avez un côté… résolument Far West.

— C'est cela, oui, dit-il en riant un peu jaune.

— Navrée, je ne voulais pas vous vexer. Mais je ne suis encore jamais sortie avec un cow-boy. Alors, c'est pour ça, j'ai l'impression d'être dans un western.

Avec sa voix veloutée et ses yeux étincelants, on ne pouvait que comprendre « coucher » là où elle disait « sortir ». Donc, la chère petite Lacey fantasmait sur les cow-boys. Intéressant ! Quelle tête ferait-elle si elle apprenait qu'il était comptable ?

A son tour, il monta dans la voiture. Il avait prévu de l'emmener dans un restaurant nouvelle cuisine, mais elle fit la moue devant sa proposition. Elle voulait un endroit plus Far West. Décidément, c'était une obsession ! Bon prince, il décida de se rabattre sur un saloon dont Buck lui avait vanté les mérites et qui, toujours selon ce dernier, servait de la bonne bière et d'excellents hamburgers.

Chez *Leo's Cowtown*, les murs étaient lambrissés jusqu'à mi-hauteur, le sol recouvert de sciure et l'air aussi épais qu'un brouillard à couper au couteau. De quelque côté que l'on regardât, on tombait sur un Stetson ou des boots. En outre, un chanteur de musique country faisait trembler le juke-box.

— C'est assez Far West pour vous, ici ? demanda-t-il non sans ironie.

— Parfait. C'est bien le genre d'endroit que vous fréquentez habituellement, non ?

Il acquiesça vaguement du chef. Elle le prenait vraiment pour un plouc, même si ce qu'elle pensait de lui à ce moment-là était le cadet de ses soucis. Bien autre chose le tracassait, en l'occurrence les yeux exorbités de tous les mâles quand Lacey passait devant eux dans sa mini-robe rouge sang. C'était tout à fait le *genre d'endroit* où il fallait rappeler aux consommateurs d'enlever leur main de la cuisse de sa compagne ou encore se battre aux poings pour sauver son honneur. Soit ! Il ne pouvait pas exiger qu'ils détournent le regard. Lui-même se sentait terriblement troublé par son déhanchement si excitant.

A part les trois serveuses, Lacey était la seule femme du saloon. Ils s'installèrent à une table ronde, qui n'avait pas encore été desservie. Elle s'employa alors à mettre de côté les dessous-de-verre, le ketchup et le cendrier qui débordait.

— Alors c'est là que les cow-boys se rencontrent, après le boulot ?

— On dirait, oui.

— Et pour la petite dame et le monsieur, ce s'ra quoi ? demanda soudain une serveuse d'une voix haut perchée.

— Allez-y, Max, fit Lacey.

— Un double whisky et un hamburger, s'il vous plaît.

— La même chose, enchaîna Lacey.

— Vous êtes sûre ? fit-il, inquiet.

— Je ne vais tout de même pas commander un Coca dans un saloon !

La serveuse s'éloigna et Lacey croisa les bras. Etait-ce délibéré ? Toujours est-il que ce simple geste compressa sa poitrine, qui s'offrit alors à sa vue tels deux fruits frais et bons à croquer. Pas de problème, il était preneur ! Il releva doucement les yeux vers sa bouche. Qui était une invitation tout aussi grande à la tentation. Ah, cette façon d'humecter ses lèvres avec sa langue le rendait dingue ! Quant à ses

50

yeux… Du velours vert piqué d'étoiles dorées. Ils vous hypnotisaient, vous… Ils étaient si… intenses, intelligents, vulnérables et effarouchés à la fois ! De toute évidence, elle voulait flirter avec lui, mais cela la rendait nerveuse. Quelle curieuse fille !

— Détendez-vous, Lacey. Nous sommes là en tant qu'amis, pas de panique.

— Mais je ne suis absolument pas paniquée. Pourquoi me dites-vous cela ?

A cet instant, la serveuse arriva avec les boissons. Elle se précipita sur son verre et en but une longue gorgée.

— Oh, tout doux ! lui dit-il. Vous n'êtes pas obligée de le vider d'une traite.

— Je… je sais… ce que je fais, répondit-elle tandis que l'alcool lui brûlait affreusement la gorge, au point qu'elle en toussota.

Il réprima un petit sourire. Et se rappela la raison qui l'avait conduit à l'inviter à dîner.

— Eh bien, parlez-moi un peu de ce salon de thé.

— Ne faites pas l'intéressé pour me faire plaisir !

— Pas du tout, je suis curieux d'en apprendre davantage ?

— Dans ces conditions…

Alors elle se lança et ne lui épargna aucun détail. Des chaises achetées aux puces, au velours de récupération censé les recouvrir, en passant par les affiches de westerns pour la décoration sans oublier l'équipement pour la cuisine négociée avec une société partenaire de la Wellington. Certes, il l'écoutait, mais ses seins qui sortaient quasiment de leur gangue lorsqu'elle se penchait vers lui le distrayaient passablement. Sans compter sa bouche qui s'agitait si sensuellement sous ses yeux. Comme il aurait aimé en goûter la saveur !

— Alors qu'en pensez-vous ?

— Pardon ?

Un peu de concentration, que diable ! se fustigea-t-il. Elle ne parlait pas de ses seins mais de son projet !

— Euh… Cela me semble une entreprise à hauts risques. Savez-vous que soixante pour cent des restaurants ferment dès la première année ?

— Ah bon ? fit-elle tandis que son regard semblait ajouter : « Et depuis quand un cow-boy sait-il ce genre de choses ? »

— Oui, j'ai lu ça quelque part, assura-t-il précipitamment. Je lis beaucoup, vous savez, tout m'intéresse. Durant mes nuits de solitude, sur la route.

— Je vois…

— Pourquoi voulez-vous faire brûlerie en même temps ? enchaîna-t-il. Vous pouvez parfaitement acheter différentes sortes de café et…

— Pour l'atmosphère, voyons ! Croyez-moi, c'est un concept qui fait fureur en ce moment. Ce que vous êtes rabat-joie. Je croirais entendre mon frère !

A cet instant, la serveuse leur apporta leur hamburger et elle ajouta :

— Et croyez-moi, j'ai besoin de tout sauf d'un autre frère.

Génial, et lui qui avait promis à Wade de la surveiller comme un aîné !

— Mangeons, proposa-t-il, inquiet de voir le niveau de whisky diminuer à vue d'œil dans le verre de Lacey. Mais, je vous en prie, continuez à parler de votre projet.

Elle ne se fit pas prier pour poursuivre. Dès qu'il le pouvait, il émettait des doutes. Le problème, c'est qu'à chaque fois qu'il semblait sceptique, elle avalait une gorgée de whisky… Au bout d'un moment, elle ferma à demi les paupières. Bon sang ! Elle était en train de s'enivrer sous ses yeux, et qui plus est par sa faute. Ah, si Wade voyait le tableau !

— Assez parler business, déclara-t-elle au bout d'un moment, d'un ton indolent. Abordons des sujets plus personnels.

Se penchant alors un peu plus sur la table, elle poursuivit, d'un air aguicheur :

— Je ne parle que de moi depuis le début. Et vous alors ? Dites-m'en plus sur vous. Comment êtes-vous devenu cowboy ?

A cet instant, elle posa sa joue sur sa main, comme si sa tête était trop lourde pour demeurer droite. Et plongea ses yeux lascifs dans les siens.

— Par hasard. Un coup de pouce du destin.

— Qu'est-ce qui vous plaît particulièrement dans ce métier ?

— Euh…

— Bon, j'essaie de deviner et vous me dites si j'ai raison ou tort.

— D'accord, fit-il, soulagé.

De toute façon, elle était tellement ivre !

— Vous adorez être proche de la nature ?

— Effectivement.

— Et vous détestez les clôtures ?

— Bien vu.

— Vous ne vous sentez bien que sur un cheval ?

Erreur, il se sentait très mal depuis qu'il montait tous les jours.

— Mouais, mentit-il d'un ton peu assuré.

— Et vous tenez les gens à distance, notamment les femmes.

Voilà, c'était l'occasion ou jamais d'écarter le danger.

— Absolument, renchérit-il d'un ton fort assuré, cette fois, je suis un cow-boy solitaire, vous savez, comme dans la chanson, « I'm a poor lonely cow-boy ».

— Les femmes, vous les prenez pour une nuit, et après, bye bye, baby, n'est-ce pas ? Aussi vite passé que le whisky !

— A propos de whisky... Cessez de boire, Lacey. Vous allez vous écrouler.

— Vous vous trompez. Je ne me suis jamais sentie mieux que ce soir. Donc, comme je disais, pour vous, le sexe, c'est simple comme bonjour. Elle a envie de vous, vous avez envie d'elle, personne ne cherche midi à 14 heures. Le désir à l'état pur. Et quand c'est fini, c'est fini.

— Lacey...

Il détestait le tour que prenait cette conversation !

— Vous savez, ça tombe bien car c'est précisément comme ça que je conçois l'amour.

— Vous ne savez plus ce que vous dites, vous avez trop bu.

— Vous croyez ?

A cet instant, elle aspira une large bouffée d'air, bombant sensuellement la poitrine. Elle était décidément impossible !

— Vous êtes partant ?

— Partant pour quoi ? fit-il, alarmé, hanté par le visage sévère de Wade.

— Pour un mambo à l'horizontal...

— Lacey ! s'écria-t-il, à la fois outré, troublé et... amusé. Vous n'êtes pas ce genre de fille, à quoi jouez-vous ?

— Je sais ce que je veux, c'est tout. En l'occurrence, vous !

Là-dessus, elle pointa son doigt vers lui et il aurait juré qu'elle en voyait deux.

54

— Et toi, Maxie, as-tu envie de moi ? ajouta-t-elle dans un souffle... de whisky.

— Vous êtes complètement soûle, ça suffit !

— Je suis tout à fait putride, regarde, je peux toucher mon nez.

Maxie pour Max, putride pour lucide, et par-dessus le marché ce tutoiement ! Il devait mettre un terme à la comédie. Mais comment ? Il ne pouvait tout de même pas la rudoyer. Et elle était si charmante, si désarmante, même dans cet état.

— Je ne conduis pas, et il n'y a pas de flic, où est le problème ? poursuivit-elle. Et avouez que vous mourez d'envie de coucher avec moi.

— Je n'ai pas l'habitude d'abuser des femmes ivres.

— Ivre ? Vous n'y êtes pas, je suis seulement désinhibée.

— Vous frôlez le coma éthylique, oui !

— Oh, comme vous vous... déprimez bien.

— Vous voulez certainement dire « exprimer », n'est-ce pas ? Je dois vous ramener chez vous. Je vais aux toilettes et on s'en va. Ne bougez pas !

Pourquoi avait-il fallu qu'il la laisse seule ? Quand il revint, elle était accoudée au bar, en grande conversation avec un cow-boy. Un vrai, celui-là, un pur, un dur...

Il se dirigea droit vers elle et lui saisit d'autorité le bras :

— Lacey, venez à présent, nous partons.

— Du calme, bonhomme ! grogna le cow-boy. Tu vois pas qu'on cause ?

— C'est vrai, renchérit Lacey. Randall me racontait son dernier rodéo.

— Super, et maintenant, allons-y !

— Je viens juste de commander une bière pour mademoiselle, fit le cow-boy d'un ton peu aimable.

— C'est bien la dernière chose dont elle ait besoin !

— Ce dont elle a besoin, c'est que tu déguerpisses, compris ? Allez ouste, du vent !

A ces mots, Randall se leva, renversant au passage son tabouret. Allait-il devoir se battre ? Il se rappela sa prémonition, en entrant dans ce maudit bar. Dans son brouillard, Lacey avisa néanmoins la tension ambiante. Elle se leva à son tour et, dans un grand sourire, déclara à Randall :

— Je ferais mieux d'y aller, c'est vrai.

— Non, restez là, fit le cow-boy en la retenant par le bras. Je n'aime pas qu'on harcèle les femmes de cette façon !

— Il ne me harcelait pas, il...

— Ne vous laissez pas impressionner par ce minus.

Max serra les dents. Ce rustre ne méritait même pas le coup de poing qu'il se retenait de lui mettre. Ravalant sa colère, il déclara :

— Ecoutez, vieux, j'espère pour vous que vous êtes en règle et que vous possédez une licence pour votre arme. Son père est flic, voyez-vous !

A ces mots, le cow-boy pâlit et déclara précipitamment :

— C'est bon, tu peux l'emmener. Mais tu ne la terrorises pas, O.K. ?

— Entendu, fit Max.

Empoignant fermement Lacey par le bras, il l'entraîna vers la sortie. Une fois qu'ils furent dehors, il relâcha un peu son étreinte et déclara :

— Il s'en est fallu de peu pour que vous déclenchiez une bagarre !

56

— Je suis désolée, je ne croyais pas qu'il allait réagir de cette façon. Ah, vous êtes un vrai chevalier servant, vous auriez...

— Allez, montez, voilà, doucement.

A peine assise, elle se laissa tomber contre le repose-tête. Quand il mit le contact, elle se redressa sur son siège, puis dodelina de la tête et finit sur son épaule ! Aussitôt, le désir ceignit ses reins. Maudite testostérone !

Et ce n'était pas le ronronnement de son souffle doux dans son cou qui allait le calmer ! Il mourait d'envie de passer un bras autour de ses épaules et de la serrer contre lui. Mmm, glisser ses doigts dans ses cheveux soyeux...

Il fit un ultime effort pour se concentrer sur sa conduite. Enfin, le *Bar des merveilles* fut en vue. Bon, maintenant, il s'agissait de la réveiller. Il espérait qu'elle ne se rappelait plus la proposition qu'elle lui avait faite tout à l'heure.

Elle poussa un petit gémissement, ouvrit les paupières...

— Où sommes-nous ?

— A la maison, sains et saufs.

— Je me sens toute bizarre.

— Après une bonne nuit, ça ira mieux, prédit-il. Venez.

Comme elle était incapable de marcher, il la prit dans ses bras. C'était la deuxième fois qu'il la tenait si près. Encore qu'hier, c'était sur l'épaule. Que la position était tentante ! Elle noua les bras autour de son cou... Serrant de nouveau les dents, il se dirigea vers son mobile-home.

— Hum, j'ai l'impression d'être dans un rocking-chair, dit-elle d'une voix languide.

Nul doute qu'il aurait aimé la voir se balancer, mais au-dessous de lui, pas dans un fauteuil. Allons, comment pouvait-il se permettre de telles pensées !

— Votre clé, s'il vous plaît ! fit-il d'un ton sévère.

Elle fouilla négligemment dans son sac, la lui tendit d'un geste nonchalant. Quand la porte fut ouverte, il la déposa doucement sur le sol.

— Voilà, nous sommes arrivés. Prenez une aspirine et couchez-vous. Bonne nuit.

— Vous ne m'amenez pas au lit ?

— Noon…

Elle s'appuya contre le mur, la tête lascivement rejetée en arrière. Quelle femme voluptueuse ! Qu'à cela ne tienne, il résisterait. Comme il allait sortir, il l'entendit glisser sur le sol. O.K…

Il la releva et chercha sa chambre. Le mobile-home fleurait bon la vanille, les fleurs, le citron… Et craquait sous ses pas. Il se faisait l'impression d'un géant dans une maison de poupées. Arrivé près du lit, il voulut l'y déposer gentiment, mais l'espace était si étroit qu'il tomba lui aussi sur le matelas. Il entendit un drôle de craquement. Super, il venait de casser une latte !

Elle était à présent étendue sur son drap bleu marine, sublime pistil rouge dans des pétales sombres. Si douce, si tentante… En un sursaut de volonté, il se remit debout. Luttant contre une furieuse envie de la prendre dans ses bras et de… C'était décidé ! Demain, dès la première heure, il appellerait Wade pour lui dire qu'il abandonnait son job de garde du corps.

— Bonne nuit, lui dit-il du seuil de la chambre.

— Non, ne partez pas. On est censés coucher ensemble…

— Dormez, demain sera un autre jour.

— Vous ne me trouvez pas séduisante, Max ? demanda-t-elle alors d'une voix presque plaintive.

A ces mots, il sentit son cœur fléchir. Il se rassit sur le bord du lit et, machinalement, repoussa une mèche blonde qui

58

barrait le front de la belle alanguie, véritable fleur sauvage qui s'offrait à lui en toute indolence. Non, il ne pouvait pas profiter de la situation. *Elle était ivre et, qui plus est, c'était la sœur de Wade !*

— Bien sûr que si, vous êtes très séduisante, seulement vous avez trop bu.

— C'est vrai, mais j'étais nerveuse et…

Elle laissa sa phrase en suspens et, se relevant sur un coude, lui donna brusquement un baiser. Il se figea. Il mourait d'envie d'entrouvrir les lèvres et de déguster enfin sa bouche, de mêler sa langue à la sienne, de… Malgré lui, il enserra sa joue d'une main… Un geste de plus, et c'en était fini de lui. Il la déshabillait et se noyait en elle !

Impossible. Il ne se le pardonnerait jamais ! D'ailleurs, elle n'avait pas spécialement envie de coucher avec lui, Max. Non, elle voulait simplement assouvir ses fantasmes éveillés par l'ambiance Far West environnante. Or lui, il était comptable de profession et savait à peine monter à cheval ! Il ne pouvait la tromper sur toute la ligne !

En douceur et, dans un ultime effort, il se dégagea doucement et déclara :

— Je vous apporte une aspirine.

Il se dirigea alors vers la cuisine, se cognant au passage contre le chambranle de la porte trop étroite. Le temps qu'il trouve l'aspirine et qu'il revienne, elle s'était endormie. Dieu soit loué !

Il posa le verre et le cachet sur sa table de nuit, lui retira ses escarpins, résista à l'envie de baiser ses orteils rose vif… Devait-il lui retirer sa robe ? Elle serait plus à l'aise sans ce tissu ultra serré qui lui comprimait la circulation du sang. A cet instant, elle se retourna dans son sommeil. Tant pis, elle garderait son garrot, décida-t-il, peu désireux de prendre le moindre risque.

Sur la pointe des pieds, il sortit du mobile-home. En réalité, elle voulait coucher avec lui pour ce qu'il représentait — pas pour ses beaux yeux ! Il ressentit alors une vive empathie pour les femmes objets. Ah, si Wade savait qu'il s'en sortait si mal, il le renverrait sur-le-champ ! A bien y réfléchir, heureusement qu'elle s'était enivrée, sinon… Sinon, il n'aurait pas pu répondre de lui-même.

4.

Le matin suivant, Lacey se réveilla avec une atroce migraine. Immédiatement, la soirée de la veille lui revint à la mémoire et une honte non moins terrible la submergea. Seigneur, elle s'était conduite comme la dernière des écervelées. Sa tête était si lourde qu'elle pouvait à peine la remuer. Oh… ! Elle portait encore sa robe rouge de la veille ! Pas étonnant qu'elle ait du mal à respirer, elle la comprimait si fortement. Tiens, se demanda-t-elle soudain, pourquoi tout semblait être de guingois dans sa chambre ? Oups, son lit n'était pas droit ! Au fait, une latte n'avait-elle pas craqué, hier soir ?

Sur la table de nuit, elle aperçut un verre d'eau et un aspirine. Elle tendit la main et ce simple mouvement lui valut une vive douleur derrière le crâne. Rapidement, elle avala le cachet, tout en remerciant la personne qui l'avait placé ici.

Max ! Bonté divine, c'était lui ! Hier soir, il ne cessait de répéter ce mot. Après qu'ils se furent embrassés… La fin de la soirée était confuse dans son esprit, mais ce baiser, elle s'en souvenait ! Sa simple évocation la faisait encore chavirer. Et encore, il s'agissait juste d'un effleurement ! Elle mourait d'envie qu'il lui donne un vrai baiser de cow-boy, chaud, viril, sauvage. Qu'il la prenne dans ses bras, l'étreigne, la caresse… Hélas ! Elle ne se sentait pas le cran de l'affronter

61

de nouveau après sa conduite inqualifiable d'hier soir. Elle s'était littéralement sabordée.

Toujours est-il qu'à présent, elle devait se lever pour ouvrir le café. Au prix d'un suprême effort, elle sortit de son lit, direction la salle de bains. Lorsqu'elle se vit dans le miroir, elle eut un mouvement de recul. Son mascara avait coulé et elle avait le teint jaune ! Pas étonnant que Max n'ait pas voulu coucher avec elle.

Vite, sous la douche, il fallait effacer tout cela ! Les gouttes d'eau ressemblaient à des aiguilles, ce matin. Sa peau était décidément très sensible. Elle ne cessait de penser à cette soirée ratée. Comment avait-elle pu se laisser aller à ce point ? Elle avait confondu monde professionnel et vie privée, recourant à des méthodes radicales pour atteindre son but tout en se répétant que la fin justifiait les moyens. Grave erreur ! Les cow-boys n'appréciaient pas les femmes entreprenantes qui leur coupaient l'herbe sous le pied, pensa-t-elle en se drapant frileusement dans son peignoir.

Bon, elle devait jeter l'éponge, oublier ce fiasco. Ce qui était d'actualité, c'était de se concentrer sur son projet initial et prouver à Wade de quoi elle était capable.

Aujourd'hui, elle appellerait le bureau des petites annonces. Elle requerrait d'urgence une aide pour déblayer la réserve, étant donné qu'elle ne pouvait guère compter sur Jasper ou Ramòn. En outre, elle avait engagé un nouvel employé qui devait arriver demain.

Le soleil du matin lui fit un bien fou quand elle sortit enfin de son mobile-home — même si ses yeux avaient du mal à en supporter l'éclat. Le bar était déjà ouvert, une odeur de brûlé s'en dégageait et Jasper n'était pas en vue ! La journée commençait fort. Elle se précipita derrière le comptoir. Un morceau de pain calcinait dans le four ! Elle l'en retira vivement. Bon, elle avait besoin d'un remède de cheval pour se remettre de ses excès. Du jus de tomate, deux œufs crus, un citron pressé, du sel et un peu d'harissa, ce mélange détonant marchait à tous les coups.

A cet instant, Jasper rentra dans le bar.

— Bonjour, oncle Jasper. Tu avais laissé du pain dans le four.

— Ah, oui, c'est vrai ! Tiens, j'ai oublié de te dire que le gars qui devait venir nous donner un coup de main s'est décommandé.

— Oh non ! Mais pourquoi ?

— On lui a proposé une autre place à Tucson, mieux payée. Il était désolé.

— Certainement pas autant que moi.

— Ne t'inquiète pas, Ramòn et moi t'aiderons. Tu sais, enchaîna-t-il, je me fais du souci pour Monty. Il semble un peu déprimé, ces derniers temps. Quelque chose de particulier s'est-il passé pendant mon absence ?

— Euh... non, pas spécialement. Peut-être lui as-tu tout simplement manqué ?

— C'est possible, il est si sensible.

A cet instant, la porte claqua contre le mur. C'était Ramòn, chargé de deux gros sacs de provision. Une insoutenable odeur de vinaigre lui monta au nez.

— Mais qu'est-ce que tu transportes là-dedans ? demanda-t-elle en faisant la moue.

— De quoi faire un bon chili, lui fut-il répondu avec hauteur.

Elle n'eut pas le temps de répliquer. La porte s'ouvrit de nouveau. *Cette fois, c'était Max !* Elle crut que son cœur allait s'arrêter de battre.

Se lever à 5 heures du matin, c'était déjà un cauchemar, mais après une nuit quasiment sans sommeil, c'était l'enfer. Quand le réveil avait sonné, Max s'était senti vraiment misérable. Et lorsque ses pensées se remirent en ordre dans son cerveau, il aurait préféré rabattre les couvertures sur sa tête. Jusqu'à présent, il avait subi les assauts de cabris capricieux ou s'était débattu avec des cactus récalcitrants. Désormais, il devait affronter une femme résolue à le séduire. Ce qui était bien pire ! Si elle revenait à la charge — sobre, s'entend —, il ne donnait pas cher de sa peau.

Un peu de réalisme ! Dans ce rôle d'agent double, il n'était absolument pas l'homme de la situation. Pourtant, il avait beau retourner le problème dans tous les sens dans sa tête, il ne voyait pas comment annoncer la nouvelle à Wade sans lui donner l'impression de baisser les bras. Et Max était tout sauf un lâcheur.

Il avait passé la matinée sur le dos de sa brave jument, à surveiller les troupeaux dans les prairies. Tout en se disant que c'était sa libido qu'il aurait dû attraper au lasso ! Il fallait qu'il convainque Lacey que ses projets étaient trop risqués. Mais pour ce faire, il devait gagner sa confiance, en d'autres termes, passer davantage de temps en sa compagnie. Quelle gageure !

Brusquement, il la revit allongée sur le lit, lui demandant s'il la trouvait séduisante ! Séduisante ? Quel faible mot pour caractériser cette déesse ! Il devait entrer en résistance. Et s'il lui disait qu'il était comptable ? La baudruche de ses fantasmes se dégonflerait d'un coup. Le problème, c'était que cet aveu en amènerait d'autres. Or, impossible de lui confier qu'il était à la solde de Wade.

64

Et s'il lui laissait entendre qu'il était gay ? Non, l'indomptable Lacey essaierait de le convertir. Marié alors ? O.K., mais où était son alliance ? Impuissant, peut-être ? Non, ça c'était trop dangereux, elle tenterait de le guérir à tout prix.

Le mieux n'était-il pas encore de lui révéler la réalité de ce monde qui la faisait tellement fantasmer ? Car il était évident qu'elle n'avait pas la moindre idée de l'envers du décor. La boue, la sueur, le crottin de cheval, la rudesse du métier...

A 9 heures, il décida de faire une petite pause. Non loin du ranch, il aperçut Buck en train de chiquer. Tiens, tiens, et s'il s'y mettait lui aussi ? On verrait alors si la belle Lacey le trouvait toujours aussi attirant !

— Tu m'en donnes un peu ? dit-il à Buck.

— Depuis quand chiques-tu ? fit ce dernier d'un air dubitatif.

— J'ai décidé de m'y mettre.

Buck lui tendit un paquet non sans préciser d'un ton railleur :

— Vas-y mollo, pour commencer.

— Entendu, dit Max en s'éloignant.

Il n'avait nulle envie de se donner en spectacle devant ce vieux routier. Il ouvrit le paquet, et mit un peu de tabac dans sa bouche. Pouah ! Ça avait goût de réglisse, de café amer et de goudron. Quelle infâme mixture ! L'amertume lui fit monter les larmes aux yeux. A quoi en était-il réduit !

Tandis qu'il se dirigeait vers le bar, il sentit son cœur s'accélérer. L'effet de la nicotine brute, pensa-t-il, et non la perspective de revoir Lacey. Pourtant, dès qu'il l'aperçut derrière son comptoir, le battement de son cœur redoubla. Il cracha rapidement sa chique — du moins ce qui ne collait pas à son palais — et en oublia sa résolution.

— Bonjour, lui dit-elle avec un sourire à se damner.

Ce matin, elle portait un T-shirt léopard, qui soulignait les courbes de sa poitrine, et une jupe noire qui dévoilait largement ses genoux et moulait étroitement ses hanches. En outre, un petit béret noir était posé sur le sommet de son crâne, légèrement incliné. Elle était encore plus sexy que dans sa robe rouge — précisément parce qu'elle n'avait pas conscience de l'être.

— Bonjour, répondit-il enfin.

— Je porte le costume que je destine aux serveuses de mon salon de thé. Comment le trouvez-vous ?

— Parfait !

— La jupe n'est pas trop courte, ça va ? Je ne voudrais pas que les serveuses soient mal à l'aise. Qu'en pensez-vous ?

Pourquoi lui demandait-elle son avis à lui, qui ne songeait qu'à une chose : lui retirer ce ravissant costume et lui laisser uniquement les sandales noires à talons compensés qui mettaient si bien en valeur le galbe de ses jambes.

— Non, c'est très bien.

— En revanche, les talons sont trop hauts, il faut des chaussures plus plates quand on reste debout toute la journée.

Il y eut un blanc. Courage, il devait absolument reparler de la nuit dernière, il était malsain de faire comme si rien ne s'était passé.

— A propos d'hier soir…, commencèrent-ils en chœur.

Ils se sourirent, vaguement gênés, et Max déclara :

— Les femmes d'abord.

— Voilà, je voulais m'excuser. J'étais un peu pompette…

— Pompette ? Complètement ivre, oui !

— D'accord, je l'admets, mais vous savez, d'habitude, je ne me comporte pas ainsi. Bon, je n'ai pas été très subtile. La prochaine fois, je ne boirai que du soda, c'est juré.

La prochaine fois ? Mais il n'y aurait pas de prochaine fois, pensa-t-il en croisant les doigts.

— Pouvez-vous me servir du café ?

— Avec plaisir.

Il espérait se débarrasser de cet infâme goût de tabac qui emplissait sa bouche. Pas étonnant que Buck soit toujours en train de cracher, lui qui chiquait toute la journée. Tiens, et s'il lui demandait un kleenex pour cracher dedans ? Voilà qui ne serait pas très ragoûtant, et la dégoûterait certainement.

— Avez-vous un mouchoir en papier ?

— Voilà.

Il mit ses plans à exécution.

— Oh, vous chiquez ? fit-elle vivement.

— Oui, c'est une mauvaise habitude.

Elle n'avait pas du tout l'air écœurée, plutôt intéressée ! Et demeurait toujours aussi attrayante. Heureusement qu'il avait encore la bouche remplie de nicotine, sinon, aurait-il pu résister à la tentation de l'embrasser ?

— Vous vous êtes levé tôt, ce matin, n'est-ce pas ?

— Exact. La vie de cow-boy, ce n'est pas une sinécure.

Soudain, son estomac émit des borborygmes.

— Je vous prépare un petit déjeuner ? suggéra-t-elle. Deux œufs au plat ?

— Oh, ce n'est pas la peine, je…

— Sur le compte de la maison, j'insiste. Pour me faire pardonner ma conduite d'hier soir. Du bacon ou une saucisse ?

— Juste les œufs, ça ira.

Son estomac n'était pas des plus solides. Maudit tabac ! Quand elle lui présenta le plat, il eut un haut-le-cœur. Les œufs baignaient dans l'huile. Il repoussa l'assiette.

— Quoi, ça a l'air si mauvais ? Hum, hum, vous, vous avez la gueule de bois, décréta-t-elle d'un air entendu. Pas de panique, j'ai ce qu'il vous faut.

Sans crier gare, elle disparut pour revenir bien vite, un verre à la main.

— Buvez ! lui ordonna-t-elle en déposant d'un air de triomphe le breuvage devant lui. C'est le meilleur remède que je connaisse contre la gueule de bois.

Il hésita. Cette curieuse mixture était bien foncée pour un simple jus de tomate. Quant à ses vertus curatives… Mais comment refuser ? Allons, ce ne devait pas être bien méchant.

Nom d'un chien ! Un véritable feu lui tapissa instantanément la gorge. Il se mit à tousser violemment et, entre deux quintes, parvint à lui demander de l'eau. Il avait les larmes aux yeux, son nez le brûlait. Sans parler de son estomac !

En souriant, elle lui tendit un verre d'eau.

— C'est l'harissa, précisa-t-elle. Un merveilleux remède pour les lendemains de fête difficiles. Bon, vous sentez-vous mieux ?

— Oui, oui, fit-il en se ressaisissant.

— Décidément, vous avez toujours besoin que je m'occupe de vous. Je fais finir par devenir votre infirmière en titre.

En parlant de titre, il lui aurait plutôt attribué celui de Lacey de Sade, oui ! Il avait l'intérieur en feu !

— Merci pour tout, Lacey, dit-il en faisant contre mauvaise fortune bon cœur. Je dois y retourner.

— A votre service, répondit-elle, grand sourire à l'appui.

Ah, la diablesse ! pensa-t-il, en faisant claquer sans le vouloir la porte derrière lui.

Quel homme sexy ! La façon dont il avait repris son souffle, après avoir avalé son petit remontant, était des plus érotiques.

Peut-être avait-elle un peu forcé sur l'harissa, mais c'était un cow-boy, oui ou non ? Curieux, d'ailleurs, les clichés que l'on pouvait nourrir. Celui-là ne sentait absolument pas la sueur et, quant à la boue qui maculait son jean, on aurait dit qu'il s'en était barbouillé à dessein.

Ce matin, elle n'avait rien fait de compromettant. Même si sa présence l'avait mise en émoi, elle n'en avait rien laissé paraître. C'était à lui de prendre l'initiative, maintenant. Qu'il était difficile de soutenir son regard ! Elle avait toujours l'impression qu'il la déshabillait des yeux.

Elle devait être forte, aussi féminine que possible et sage, très sage. Il finirait bien par craquer. Et elle obtiendrait ce qu'elle voulait.

Soudain, le bruit d'un moteur la fit sursauter. Elle regarda par la fenêtre. Une camionnette venait de s'arrêter devant le bar, remplie de plaques de métal et de contreplaqué. Elle se précipita dehors.

— C'est ma nouvelle cahute, annonça Jasper, tout excité.

— Pourquoi te la livre-t-on en kit ?

— Parce que c'est moins cher.

— Et où comptes-tu la placer ? Y as-tu seulement pensé ?

Jasper ignora sa question et commença à décharger. Il lui fourra d'autorité une plaque en contreplaqué dans les mains. Elle ne put que la saisir et avança à l'aveuglette… Soudain, elle heurta quelque chose. Ou plutôt quelqu'un, car on venait de lui prendre des mains son encombrant chargement. Max ! Encore lui !

— Je peux vous donner un coup de main ?

— Qui est-ce ? demanda alors Jasper.

— Max McLane, répondit ce dernier. Je travaille pour Buck.

— Enchanté, je suis Jasper Wellington. Et j'accepte votre aide avec joie, vous m'avez l'air robuste.

— Bon, où doit-on déposer le matériel ?

Et Jasper de lui indiquer l'endroit qu'il avait choisi, derrière le bar.

— Parfait, fit Max avant d'ajouter à l'attention de Lacey : je vais aider votre oncle, vous pouvez retourner derrière le comptoir.

— Non, c'est mon projet, je dois mettre la main à la pâte.

— Mais… vous allez salir votre costume.

— Et alors ? De toute façon, il n'y a pas de client et Jasper ne doit rien porter de lourd.

Sur ces entrefaites, Ramòn pointa son nez et bientôt la cour ressembla à un véritable chantier. Comme Max l'avait prédit, l'uniforme de Lacey était maculé de poussière, elle avait déjà des courbatures et elle était en sueur. En outre, ses chaussures étaient parfaitement inadaptées à ce genre de travail.

— Si vous voulez bien apposer votre signature et me régler, lui dit alors le livreur.

Elle regarda le prix et retint un cri. Pas cher, ce bungalow ? Une fortune, oui ! Voilà qui grevait sérieusement son budget. A contrecœur, elle se dirigea vers le café pour prendre son chéquier…

— La facture était salée ? demanda Max une fois le livreur reparti.

— Trois fois plus cher que ce que je croyais, annonça-t-elle d'un air dépité. Bah, tant pis ! Jasper a l'air si heureux. Depuis le temps qu'il rêvait d'un véritable atelier. Au moins, il n'attrapera pas de syncope en travaillant en plein soleil, l'après-midi. Venez, je vous offre un thé glacé.

— Volontiers.

Ils rentrèrent dans le bar. Elle se sentait réellement bien en sa compagnie. Pendant qu'ils déchargeaient, elle avait évité de le frôler, ou de le regarder avec trop d'insistance. Elle devait se tenir sur ses gardes, ne pas l'agresser.

— Je vous aide ?

— Non, non, asseyez-vous, c'est moi qui vous sers. Vous travaillez depuis l'aube, et en plus, vous nous avez aidés à décharger. Je vous remercie, c'est vraiment très aimable. Sans vous, on y serait encore. D'ailleurs, heureusement que vous avez recalculé la place où ce préfabriqué pouvait loger. Jasper s'était un peu fourvoyé sur l'emplacement.

— Je suis assez bon en calcul, admit-il en avalant une gorgée de son délicieux thé glacé.

Un cow-boy doué pour la mécanique et les maths ! Quel homme raffiné ! Il savait tout faire. Ce qui lui donna une idée…

— Dites, vous ne voudriez pas me donner un coup de main pour le café ? Je vous salarierais, bien sûr.

— Pardon ? dit-il en manquant s'étrangler.

— Mon ouvrier m'a fait faux bond et j'ai absolument besoin de quelqu'un. Croyez-vous que vous pourriez travailler à mi-temps au ranch ? Qu'en dites-vous ?

Elle croisa les doigts et pria pour qu'il accepte. Elle tenait la solution parfaite ! Non seulement c'était un excellent travailleur — la preuve, il avait déchargé le camion en un rien de temps — mais en plus, s'ils se voyaient tous les jours, alors les choses finiraient forcément par aboutir entre eux.

— Je doute que Buck soit d'accord… En plus, si votre budget est serré, peut-être que ce n'est pas le moment de…

— C'est précisément le bon moment.

— Pourquoi ne pas revoir vos plans… à la baisse ?

C'était une manie. Voilà qu'il recommençait à la décourager !

— Parce que mon budget est serré ? Non, j'emploierai quelqu'un et je serai en mesure de le payer, ne vous en déplaise ! J'économiserai sur autre chose.

Sans crier gare, il avança la main... et lui effleura la joue !

— Vous aviez un peu de boue, là, dit-il en essuyant doucement sa pommette, très doucement.

— Merci, dit-elle, décontenancée.

— Vous avez la peau très douce...

Ces mots avaient spontanément franchi ses lèvres. Devinait-elle le désir qui le consumait ? Ses yeux le trahissaient-ils ? Leurs regards restèrent enchaînés un long moment... La tension montait... Il se pencha sur le comptoir, avança la tête.

Oui... Il allait l'embrasser. Enfin ! Elle ferma les yeux, frémissante. Cette fois, elle n'était pas ivre, elle ne perdrait pas un iota de ce qui se passait. Elle sentait son souffle chaud sur sa bouche. Il sentait le thé glacé, la menthe et... Et quoi ? Une drôle d'odeur... Ah oui, c'est vrai, il chiquait ! Elle se pencha à son tour.

— Entendu, j'accepte, déclara-t-il brutalement.

Qu'acceptait-il ? De coucher avec elle ? Elle ouvrit les yeux.

— Je serai votre homme à tout faire.

— Mon quoi ?

— Votre ouvrier, quoi !

— Oh... Super...

Donc, il n'allait pas la faire basculer sur la table de l'arrière-cuisine et lui faire l'amour. Mais il acceptait de travailler pour elle. Ce qui représentait déjà un pas de géant ! Elle aurait un employé compétent, et peut-être même que...

— Bon, reprit-elle, rendez-vous à 1 heure. Je vous ferai visiter les lieux tout en vous exposant les transformations que j'envisage.

Max n'en revenait toujours pas. Comment avait-il pu lui faire une telle proposition ? Il était censé la dissuader, pas l'encourager. Ah, il était dans de beaux draps ! Immédiatement, cette expression éveilla en lui d'autres images. Pitié !

Bon, il devait reprendre ses esprits. Avant tout, rester calme. Lacey avait besoin d'aide et il n'avait pu résister à l'appel de ses grands yeux verts désespérés. Le tout était de ne pas succomber davantage.

5.

Il revint une heure plus tard, moulé dans un jean délavé accordé à sa chemise en denim. Son Stetson — légèrement incliné — était l'indispensable accessoire qui complétait son allure si sexy. Pour sa part, elle avait troqué son uniforme de serveuse contre une blouse en coton imprimé et un bermuda en jean. Sous ses airs distants, Max la dévisagea à la dérobée, ce qui la fit intérieurement jubiler.

— Prêt pour la visite de mon futur salon de thé ? demandat-elle en lui prenant le bras. Je vous expose mes idées et vous me donnez votre avis, d'accord ?

— Entendu.

Malgré son ton jovial, elle n'en oubliait pas pour autant la soirée d'hier, où elle s'était ridiculisée. Lui en tenait-il rigueur ? Tout à l'heure, quand elle lui avait offert le thé glacé, il lui avait tendrement caressé la joue, ce qui donnait à penser que… Assez ! Pour l'instant, il était là, tout près d'elle, et elle le conviait au pays de ses rêves.

Dans la réserve, vide à présent, elle lui indiqua où elle projetait de disposer l'estrade et de ménager l'ouverture qui relierait la scène à l'espace café. Puis elle l'entraîna dans la cuisine, et là encore lui montra la place du futur évier, du plan de travail et du lave-vaisselle. Le tout avec des étincelles dans les yeux et presque des trémolos dans la voix.

Au bout d'une demi-heure, son enthousiasme commença à s'émousser devant les objections systématiques de Max. Ses « Oui, mais... » commençaient réellement à lui porter sur les nerfs.

« Oui, mais un second évier, ça implique des travaux de plomberie supplémentaires. »

« Oui, mais ce nombre de tables, ce n'est pas réglementaire en cas d'incendie. »

« Oui, mais l'installation électrique n'est pas assez puissante, pour toutes ces nouvelles prises. »

« Oui, mais... »

Et quand il ne formulait pas expressément ses critiques, il faisait désagréablement claquer ses doigts pour signifier que son projet allait coûter cher. Le tout en affirmant, main sur le cœur, qu'il voulait juste l'aider !

Ils finirent par le vivarium.

— J'aimerais en revoir la conception, mais Jasper s'y oppose vivement. Il va donc falloir que je m'accommode de ce sphinx à deux têtes et de ces amarantes géantes.

— Justement, c'est ce qui fera tout le charme de l'endroit, son éclectisme, renchérit Max.

Eh bien ! C'était le premier signe d'encouragement qu'il lui donnait ! Hélas, elle l'entendit aussitôt ajouter :

— Mais pourquoi ne pas se contenter de changer la carte des menus, de refaire l'enseigne et de donner un bon coup de peinture ?

Elle en eut presque un haut-le-corps. Les mains sur les hanches, elle lui fit face et déclara :

— Max, pourquoi ne me faites-vous pas un peu confiance ? Je vous rappelle que j'ai un mastère de gestion, je sais ce que je fais.

— Bien sûr. Seulement, si l'on ajoute les frais d'équipement pour le restaurant à ceux de la main-d'œuvre, on...

— Pitié ! Je croirais entendre un comptable !

A ces mots, Max prit une expression réellement offensée. Ce n'aurait pas été pire si elle l'avait traité de meurtrier !

— Qu'allez-vous penser là ? protesta-t-il. Si je vous exhorte à la vigilance, c'est parce que l'un de mes amis a ouvert un restaurant, il y a un an à peine, et qu'il vient de déposer le bilan le mois dernier. Il s'est complètement laissé dépasser par…

— Ce n'est pas mon cas, je ne me laisserai pas *dépasser*. En outre, je *n'ouvre* pas un restaurant, je le réaménage, c'est différent. Je vous remercie de votre sollicitude, mais j'ai évalué tous les problèmes liés à ce projet, croyez-moi. Je les connais, je n'ai pas besoin qu'on me les rappelle à chaque instant. Alors concentrez-vous sur la mise en œuvre de mes idées, moi, je m'occupe de mon budget, et ainsi, nous pourrons nous entendre.

— Très bien, lui dit-il d'un ton fort calme.

Bien trop calme, d'ailleurs. Le ton de celui qui se tait, mais n'en pense pas moins et qui, ensuite, pourra pérorer en affirmant : « Je vous l'avais bien dit. » Et si finalement elle avait eu tort de l'engager ? Allons, elle ne devait pas se laisser submerger par sa mauvaise humeur. Max était un homme doué de nombreuses qualités.

— Venez chez moi, je vais nous concocter un petit repas, ajouta-t-elle sur un ton radouci, désireuse qu'il lui pardonne son emportement. En outre, nous pourrons dresser la liste du matériel dont nous avons besoin. Comme vous paraissez économe, je vais me fier à vos conseils.

Devant le mobile-home, Max hésita. Etait-il raisonnable de pénétrer dans son antre ? Mais déjà elle ouvrait la porte et l'invitait à entrer. En parlant d'être dépassé par les événements… Il s'assit gentiment sur le sofa, un carnet et une machine à calculer à la main, tandis qu'elle s'affairait dans sa kitchenette.

Son réfrigérateur ressemblait à un vrai désert ! Dans le freezer, elle trouva un plat tout préparé. « Cela devra faire l'affaire », pensa-t-elle alors. Elle le mit au four à micro-ondes, tout en ouvrant un sachet de salade prête à consommer. Ouf, elle avait de la bière ! Enfin, pour Max. Elle, elle se contenterait d'eau gazeuse. Elle avait une réputation à reconstruire !

— Ce sera prêt dans quelques minutes, annonça-t-elle en rentrant dans le salon.

Il était raide comme un I sur le sofa — aussi décontracté que le premier petit ami qu'une fille amène chez ses parents ! Elle s'assit à côté de lui et se pencha un peu vers son carnet. Absorbant au passage une bouffée de son after-shave aux notes poivrées et musquées. Une fragrance résolument masculine.

— Eh bien… ?

— Il faut partir du plus petit budget possible, dit-il en tournant soudain un regard intense vers elle.

Leurs yeux s'aimantèrent immédiatement et la tension monta d'un cran entre eux. La routine, en somme, pensa-t-elle tandis que les battements de son cœur s'accéléraient.

— Parfait, dit-elle.

— Et puis, nous pourrons toujours le gonfler en fonction des besoins.

Gonfler ? Elle se garda de laisser dériver son regard. Se rendait-il compte que son vocabulaire n'était pas tout à fait bien choisi ? A moins que ce ne fût elle qui fût obsédée ! Elle devait se concentrer sur ce qu'il lui disait. Inconsciemment, elle se mit à fixer sa bouche au dessin parfait… Ses lèvres qu'elle avait à peine goûtées, hier soir. Pourquoi avait-il fallu qu'elle soit ivre ? Et, lui, de son côté, si seulement il avait su surmonter ses réticences à embrasser une femme qui n'avait plus toute sa tête ! De toute façon, en sa présence, alcool ou pas, elle perdait la raison, alors…

Soudain, elle vit ses doigts se crisper sur son stylo. Lui aussi percevait l'électricité ambiante.

— J'ai besoin de voir…, commença-t-il d'une voix lente tandis que son regard glissait de ses yeux à sa bouche.

— Oui… ? l'encouragea-t-elle d'une voix presque tremblante.

— Vos…

Cette fois, ses prunelles fixaient sa poitrine.

— Mes…, dit-elle, la gorge nouée.

— Votre étude prévisionnelle ! dit-il enfin en s'éclaircissant la gorge.

— Oh, mon étude prévisionnelle, oui, bien sûr.

Le charme était rompu. Il avait le don pour casser l'atmosphère en un rien de temps. Cet homme était-il de marbre ? Elle retint de justesse un soupir de frustration, puis se leva pour aller chercher son dossier.

— Voilà, dit-elle en lui lançant le dossier sur les genoux. Il y a tout. Les données démographiques, les études de marché, les simulations, tout.

Puis elle se laissa tomber à l'autre extrémité du canapé et croisa les bras. Qu'est-ce qu'un cow-boy pouvait bien comprendre à la comptabilité, hein ? Peut-être allait-il enfin se convaincre qu'elle maîtrisait son affaire.

Il éplucha consciencieusement le dossier, comme s'il avait fait ça toute sa vie, prit même des notes, émettant de temps à autre des petits sons gutturaux, censés exprimer son approbation ou sa désapprobation, ainsi qu'un médecin devant une analyse déconcertante.

Lacey sentait sa colère monter. Tout comme Wade, il n'avait aucune confiance en elle. Mais quelle raison avait-il *lui* d'être méfiant ? A moins qu'elle n'ait pas été assez convaincante. Ses propres doutes auraient-ils déteint sur Max ? Cette pensée la mettait dans tous ses états.

Il finit par refermer le dossier et, relevant lentement la tête, il déclara :

— Tout ça me paraît se tenir.

— Bien sûr que ça se tient ! répliqua-t-elle, piquée au vif par son ton condescendant. Je m'échine à vous le dire. Evidemment, ce projet n'est pas dénué de risques et mon budget est serré. Mais j'ai bien évalué les points faibles et les points forts, et je sais que ça marchera.

— Ecoutez, Lacey, je ne voulais pas vous contrarier, seulement vous mettre en garde contre d'éventuelles erreurs.

— Je n'en commettrai pas, d'ailleurs, je n'ai pas droit à l'erreur. Il y a trop de choses en jeu pour moi.

— Quoi donc ?

Ses prunelles la scrutaient avec intensité. Pourquoi paraissait-il tellement avide d'en apprendre davantage sur elle ? Après tout, ils se connaissaient depuis très peu de temps et ils étaient des étrangers l'un pour l'autre. D'ailleurs, même s'ils couchaient ensemble, ils n'allaient pas pour autant ouvrir le chapitre des confidences. Et d'où venait par ailleurs cette curieuse impression que Max en connaissait si long sur elle ?

Elle finit pourtant par passer aux aveux. L'effet du trouble, sûrement. Elle évoqua alors son frère Wade, qui se sentait investi d'un rôle paternel envers elle depuis la mort de leurs parents, mais qui ne lui faisait *jamais* confiance. Cette fois, elle entendait lui prouver qu'elle était digne de respect. Parce que l'opinion de Wade lui importait par-dessus tout.

— Je veux intégrer l'entreprise familiale comme un membre à part entière, poursuivit-elle, je refuse que Wade me donne un poste bidon, je veux mériter mon job et surtout contribuer à la prospérité de la Wellington.

— Hum, hum, je saisis mieux. Ce projet représente donc un véritable défi pour vous.

— Oui, c'est comme un rêve que je veux réaliser. Je doute néanmoins que vous puissiez me comprendre, Max, car vous, vous vivez votre rêve sans le savoir.

Soudain, il l'observa avec une attention redoublée, comme s'il avait une décision à prendre. Curieux. On aurait dit que quelque chose de vital était en jeu. Et puis, tout à trac, il décréta :

— Très bien, je vais vous aider.

Elle se mit à rire.

— Vous avez déjà accepté de me donner un coup de main, constata-t-elle, étonnée de son air subitement grave. Allons, ne prenez pas mon projet tant à cœur. C'est ma réputation à moi qui va se jouer, pas la vôtre.

Comme il aurait aimé qu'elle dise vrai !

— Qu'essaies-tu de me dire ? De la laisser faire ? demanda Wade, incrédule, lorsque Max lui téléphona le lendemain.

— Oui, tu m'as bien compris. Je t'assure que le projet tient la route, elle m'a montré son dossier d'études, et même si le budget est serré, c'est du sérieux.

— Max, mon intention est de fermer ce café lorsque Jasper partira à la retraite, lui rappela Wade d'un ton sentencieux. Pas de me lancer dans un nouveau *concept*, ou que sais-je ?

— Si je me souviens bien, tu souhaitais pourtant diversifier les activités de la Wellington.

Autant tenter de convaincre Wade par ce biais-là — même si c'était les intérêts de sa sœur qu'il avait décidé de défendre. Cette petite ensorceleuse l'avait définitivement acquis à sa cause. Heureusement d'ailleurs que son projet était viable, car une voix intérieure lui disait que, même dans le cas contraire, il n'aurait pas agi autrement ! Il fallait voir ses grands yeux verts s'éclairer quand elle évoquait son projet, son beau visage s'animer. Tant d'espoirs et d'excitations se lisaient sur ses traits, qu'il avait fini par fléchir.

— Je suis bien conscient qu'elle sera terriblement déçue si je ferme le bar, déclara soudain Max.

Tiens, tiens, les sentiments de sa sœur le préoccupaient maintenant ? C'était nouveau ! Il s'engouffra dans la brèche.

— Oui, ça lui briserait le cœur.

— Ah, j'en ai assez de jouer les bourreaux ! Très bien, puisque tu estimes que son projet est réaliste, je ne lui mettrai pas de bâtons dans les roues.

A ces mots, Max éprouva un vif sentiment de soulagement, doublé d'une bouffée de plaisir. Si Lacey devait avoir le cœur brisé, ce serait par l'échec de ce projet — et non par sa faute à lui ! Sa conscience s'allégea d'un coup et son horizon jusque-là bien noir s'éclaircit. Bon, il allait lui donner un petit coup de main, puisqu'il le lui avait promis et, d'ici quelques jours, il tirerait sa révérence à ce trou paumé, l'honneur sauf. Car c'était décidé, il ne la toucherait pas. *C'était tout de même la sœur de Wade !* Au nom de leur amitié, une aventure avec elle était exclue. Quant à une véritable relation, ce n'était pas dans ses projets à lui. Il était donc préférable qu'il ne s'attarde pas au *Bar des merveilles*.

— Tu surveilles le projet du début à la fin, cela va sans dire, ajouta Wade. Je m'en remets à toi.

— Pardon ?

— Qui d'autre mieux que toi est en mesure de le faire ? Avant d'être cow-boy, tu étais comptable, mon vieux, dois-je te le rappeler ? Je te nomme superviseur du projet de ma sœur, en toute discrétion, bien sûr.

Oh non, et lui qui croyait être tiré d'affaires ! Quelle malédiction ! Il avait l'impression d'être embarqué sur un sous-marin fou et, s'il n'y prenait garde, il allait couler.

Une semaine plus tard, Lacey admirait d'un air satisfait la tournure que prenait l'espace salon de thé. Autour d'elle, on s'affairait, les marteaux et les perceuses faisaient vibrer l'air. Une véritable petite ruche, pensa-t-elle, satisfaite, avant de replonger le nez sur son écran. Ah, ce maudit budget ! Ça, c'était beaucoup moins drôle. Elle avait sous-estimé les coûts de plomberie ! Max avait vu juste. Et même si elle avait obtenu une bonne ristourne sur les tables en granit, quand elle appuyait sur la touche « total », son programme affichait des symboles d'erreur.

Elle soupira et, de nouveau, contempla *ses* ouvriers à l'œuvre. Max était en train de clouer les marches de l'estrade. Elle coula un regard sur ses avant-bras. Tout en muscles... Elle ne put retenir un deuxième soupir. Depuis une semaine, il la tenait à distance et déclinait toute invitation de sa part, sous prétexte qu'il devait travailler pour Buck. C'était pourtant l'ouvrier le plus sexy qu'elle n'ait jamais vu et quelle dextérité, c'était...

— Aïe !

Le marteau lui tomba des mains et il se mordit la lèvre inférieure pour ne pas crier. O.K., pour la dextérité, elle s'était laissé un peu emporter. Voilà qu'il venait de se massacrer le pouce ! Enfin massacrer, façon de parler ! Un petit coup de marteau n'avait jamais tué personne.

— Je vais vous chercher de la glace, annonça-t-elle en bondissant vers la cuisine.

Service express, puisque, quelques secondes plus tard, elle revenait avec un bol rempli de glaçons.

— Tenez !

— Ça va aller, dit-il en serrant les dents.

— La glace va vous calmer, lui assura-t-elle.

— Merci, dit-il à contrecœur en prenant le bol.

Et tandis qu'il refroidissait son pouce, elle examina de plus près son travail…

— Cet escalier n'est pas droit ! annonça-t-elle tout à trac.

— Mais si ! protesta-t-il.

— Et moi, je vous dis que non !

Se saisissant de l'équerre, elle lui démontra qu'elle avait raison.

— Bah, ce n'est pas grave, ajouta-t-elle précipitamment. Tout le monde peut commettre des erreurs.

Max était si susceptible, elle ne voulait pas le froisser dans sa virilité. Un cow-boy n'apprécierait certainement pas qu'une femme lui donne des leçons de bricolage. Heureusement que les deux autres ouvriers qu'elle avait finalement été contrainte d'employer maniaient mieux la scie circulaire que lui le marteau. Etait-il si compétent qu'il en avait l'air ? s'interrogea-t-elle, dubitative. Nul doute que son envie de coucher avec lui avait altéré son jugement.

— Vous n'avez pas mis le bon facteur, là !

— Pardon ?

Elle se retourna vivement. Il était penché sur l'écran de son ordinateur, une main sur la hanche. Sa chemise, un peu ouverte, dévoilait le haut de sa poitrine musclée et bronzée. Sans tatouage, hélas, comme elle avait pu le remarquer le jour où il s'était montré torse nu devant elle. Peut-être était-il tatoué un peu plus bas… Bah, peu importe le tatouage, cet homme était si… si viril, si irrésistible.

Elle le rejoignit et, après examen, ajouta :

— Comment se fait-il que vous soyez si doué en compta ?

— Je suis bon en maths, c'est tout. Asseyez-vous, je vais vous montrer.

Et il pointa un index bandé vers l'écran. Encore une blessure de guerre, pensa-t-elle. Celle-là, il se l'était faite en installant la scène.

— Vous voyez cette somme-là ?

Devant son silence, il se tourna vers elle et la jaugea d'un air incrédule. Il en avait de bonnes, lui ! Se rendait-il compte que sa voix veloutée la déconcentrait ?

— Oui, oui.

— Eh bien, cette somme ne reflète pas… euh, elle ne reflète pas…

Troublé, peut-être ? Il ne décrochait plus le regard de son décolleté. Ravie d'avoir repris les choses en main, elle lui décocha un sourire ironique et renchérit :

— Ne reflète pas quoi ?

— La somme de cette colonne-là ! compléta-t-il hâtivement.

Un cri en provenance de la cuisine vint mettre un terme à cette laborieuse leçon. Cri bientôt suivi d'un juron en espagnol. Ramòn ! Mais… Oui, c'était bien de l'eau que l'on entendait en bruit de fond.

D'un bond, elle fut dans la cuisine. Un geyser d'eau froide l'aspergea copieusement. L'air furieux, Ramòn tenait un robinet disloqué à la main.

— Je ne peux pas travailler dans ces conditions ! s'insurgea-t-il en lui plaçant d'autorité le robinet dans les mains.

Là-dessus, tête haute, il quitta la pièce. Quant à Max, il se précipita sous l'évier, à la recherche de la valve qui lui permettrait de stopper l'inondation. De son côté, Lacey courut chercher la boîte à outils, près de l'estrade. Quand elle revint, Max avait mis fin à la catastrophe. Il était assis par terre, la chemise trempée. Il leva les yeux vers elle…

— Je vois que la confiance règne !

— Mais, ça n'a rien à voir, j'allais simplement vous chercher des outils au cas où… où vous en auriez eu besoin.

Il finit par se relever. Sa silhouette, soudain dressée devant elle, lui parut alors immense.

— Une petite douche, ça rafraîchit, dit-il en retroussant le coin des lèvres. Pas mal, votre lingerie en dentelle noire.

Non mais, quelle audace ! D'abord, lui aussi était trempé, et… Elle s'apprêtait à riposter lorsqu'il secoua la tête, l'éclaboussant à dessein.

— Je n'y suis pour rien, si votre T-shirt devient transparent quand il est mouillé, poursuivit-il. Et vos cheveux bouclent au contact de l'eau, c'est adorable.

Elle se figea. Que lui prenait-il ? En même temps, elle éprouvait une incroyable excitation. Les yeux noirs, intenses de Max la transperçaient littéralement.

— Tu me tentes, Lacey, ajouta-t-il d'une voix lourde de désir. Au-delà de la raison…

— Alors, soyons déraisonnables, murmura-t-elle.

Elle avait soudain l'impression de vivre un rêve éveillé. Avait-il réellement prononcé ces paroles ?

— Lacey, murmura-t-il encore d'une voix languide.

Alors ses paumes enserrèrent son visage, son pouce caressa ses lèvres… On aurait dit que son désir le faisait souffrir. Il avait envie d'elle, c'était évident, et cette constatation la remplissait de joie. Soudain, il soupira et décréta d'un air malheureux :

— Ah, ce serait une relation sans lendemain, il n'y…

— Je sais, et c'est précisément ce que je veux.

— Et ton petit ami ?

— C'est fini entre nous, dit-elle en se pressant davantage contre lui. J'ai envie de vivre des aventures, voilà ! De m'en donner à cœur joie.

— A cœur joie ? Tu sais, le sexe, ce n'est jamais simple.

— Mais si, ça l'est, regarde…

Se hissant sur la pointe des pieds, elle posa ses lèvres sur les siennes. Alors, à sa grande joie, après une seconde d'hésitation, il entrouvrit la bouche et lui donna un long baiser ardent… avant de la repousser brusquement, en déclarant :

— Désolé, Lacey, mais j'ai du pain sur la planche.

Elle s'écarta, chancelante. Elle voulait un homme brut de décoffrage, alors de quoi se plaignait-elle ? Après un élan de passion, il retombait sur terre. Normal, pour un cow-boy.

Ce matin-là, au réveil, Lacey décida qu'il était grand temps de faire réparer la latte cassée de son sommier. Elle en avait assez d'avoir la sensation de tanguer toute la nuit. Elle prierait Rodney d'exécuter le travail, ayant plus confiance en ses capacités qu'en celles de Max. Max… Depuis leur baiser, deux jours plus tôt, il n'avait rien retenté. Pourquoi la respectait-il à ce point ? C'était ridicule, puisqu'elle était consentante, majeure et vaccinée ! De quoi avait-il peur ? Qu'elle l'enchaîne ? Et elle, de son côté, pourquoi s'acharnait-elle sur lui ? Elle aurait pu jeter son dévolu sur Rodney, par exemple.

Dans l'après-midi, alors que ce dernier réparait son lit, elle le scruta avec la plus vive attention. Lui aussi était plutôt bel homme. Et pas le genre à s'embarrasser de sentiments. Et si…

— Bon, je pense que ça tiendra, mam'zelle Lacey.

— Vous croyez ?

« On pourrait peut-être tester ? » lui demanda-t-elle alors du regard. Avant de comprendre que non, avec Rodney, ce n'était absolument pas possible. Il n'y avait pas cette tension, cette alchimie qui agissait en la présence de Max.

— Pas de problème !

Soudain, par la fenêtre entrouverte, elle aperçut Max dans la cour. Alors une idée germa dans son esprit. Après tout, il suffisait que ce dernier croie qu'elle était une fille libérée. Elle n'avait pas forcément besoin de coucher avec Rodney, il suffisait de simuler. Brusquement, elle se laissa tomber sur le lit.

— Je vais le tester… Mmm, ça m'a l'air pas mal, dit-elle en rebondissant sur le matelas, avant d'ajouter aussi fort qu'elle le pouvait : Oh, Rodney, vous êtes vraiment un as ! Tout ce que vous faites est merveilleux.

— C'était rien, protesta ce dernier.

— Non, je vous assure, vous êtes… génial. Waouh !

Elle frôla la quinte de toux tant elle parlait fort. Rodney rougit et voulut sortir.

— Restez ! lui ordonna-t-elle. Je voudrais que vous vérifiiez la plomberie de la salle de bains.

— A votre service, fit-il, nerveux.

Et elle referma la porte de la salle de bains derrière lui au moment même où Max frappait à l'entrée. Elle sortit précipitamment son chemisier de son jean, ébouriffa ses cheveux, mordit ses lèvres pour les rendre plus rouges…

— Max, qu'est-ce qui t'amène ? demanda-t-elle en ouvrant la porte.

Il lui lança alors le regard qu'elle attendait — un regard jaloux et méfiant.

— Les clés du camion de Jasper, dit-il. Mais, visiblement, je te dérange…

— Oh… il est vrai que j'étais un peu occupée.

— Je vous jure que je ne l'ai pas touchée !

Oh, non, Rodney ! Elle l'aurait giflé. Elle pivota sur ses talons. Il levait les bras en l'air, comme si Max l'avait menacé d'un revolver.

— Je réparais juste le lit, je vous jure. Et puis je ne sais pas ce qui lui a pris, elle s'est mise à…

— C'était pour rire, l'interrompit Lacey, tu ne peux pas comprendre.

Quant à Max, il se retenait pour ne pas éclater de rire. Il l'avait visiblement percée à jour. Ah, qu'il aille au diable !

— Très bien, alors… au revoir. Je dois y aller, fit Rodney.

— Au revoir, Rodney.

Quand il fut hors de portée de voix, Max déclara :

— Si la réparation d'un lit te met dans un tel état, je me demande ce que ce sera quand le café sera fini. Il va falloir te faire mordre un chiffon pour que tu n'avales pas ta langue.

— Très drôle !

Là-dessus, elle lui referma la porte au nez. Il frappa de nouveau.

— Quoi ? fit-elle mi-excédée, mi-amusée.

— Les clés…

— Voici, dit-elle d'un air pincé en les décrochant du porte-clés, juste à côté de la porte.

— N'en veux pas trop à Rodney. Le pauvre, la situation lui a complètement échappé.

— Je voulais juste te prouver qu'une aventure de plus ou de moins, ça n'a pas d'importance pour moi.

— En général, une fille facile n'a pas à démontrer qu'elle l'est.

— Mais enfin, je ne te comprends pas ! Tu es un homme, moi une femme, on éprouve de l'attirance l'un pour l'autre. Où est le problème ?

— Le problème, Lacey, c'est que nous appartenons à des mondes *très* différents.

— C'est précisément ce qui m'attire en toi.

— Tu ne me connais pas, tu ne sais rien de ma vie.

Rajustant son Stetson, il lui décocha un petit sourire et s'éloigna.

Des mondes *très* différents ? Eh bien, il était temps qu'ils entrent en collision, ces mondes si différents.

6.

On aurait dit qu'elle sortait directement d'un panneau publicitaire pour les jeans Wrangler, pensa-t-elle en se contemplant dans le miroir de sa salle de bains. Elle portait un jean fort moulant avec une blouse blanche en tissu froissé, dotée de franges de perles. Des boots fauves et un Stetson assorti complétaient le tableau.

Sous prétexte qu'ils appartenaient à des mondes très différents, ça ne pouvait pas marcher entre eux ? Qu'à cela ne tienne ! Elle allait s'adapter au sien. Certes, sa première tentative pour se familiariser avec son univers, au saloon, avait été un échec. Mais pourquoi aussi avait-il fallu qu'elle gâche tout en abusant du whisky ? Aujourd'hui, elle était déterminée à lui prouver qu'elle était réellement capable de s'adapter à la vie du Far West.

Forte de cette décision, elle allait lui proposer une visite du ranch à dos de cheval. Bon, elle n'était pas montée à cheval depuis son enfance, mais l'équitation, c'était comme le vélo, n'est-ce pas ? Ça ne s'oubliait pas !

Pour être honnête, elle devait reconnaître qu'elle avait failli abandonner la partie et renoncer à coucher avec Max. Pourtant, à la réflexion, elle préférait relever ce défi ! Il participait de sa nouvelle résolution à devenir une autre Lacey, à savoir une femme qui se définissait des buts et s'y tenait. Et puis Max était tellement irrésistible. Son côté cow-boy la faisait craquer, bien sûr, mais d'autres aspects de sa personnalité l'attiraient sensiblement. C'était un être complexe, au regard intelligent. Un regard qui occupait en permanence ses pensées et venait hanter ses rêves. Elle savait que tous les deux, ils formeraient un formidable duo, tout comme elle savait que la Wellington Restaurant Corporation avait besoin d'elle.

Si Max restait sur ses gardes, c'était par pur esprit chevaleresque. Certes, l'intention était charmante, mais cela ne pouvait plus durer ! Il était urgent que la situation évolue. Elle ne doutait pas un instant qu'elle allait adorer son monde. Immanquablement, Max lui communiquerait sa passion pour les prairies et les rodéos et bientôt, ils couleraient des jours heureux… Enfin, limités dans le temps, évidemment, puisqu'il ne s'agissait que d'une aventure.

Ajustant son Stetson, elle traversa la nationale, se sentant soudain terriblement sexy et audacieuse dans ses vêtements de cow-boy. Elle repéra Max près des écuries, en train de ramener — non sans quelque difficulté — une jument dans sa stalle.

— Récalcitrante ?

Deux grands yeux noirs la transpercèrent tout à coup.

— Que fais-tu là ? s'exclama-t-il. Et que signifie cet accoutrement ?

Elle en était sûre, il aimait sa tenue, elle pouvait le lire dans son regard en dépit de son ton un peu sec. Allons, c'était un cow-boy ! se rappela-t-elle. Quoi de plus normal que ces manières un peu rudes ?

— Je me suis dit que tu pourrais me faire faire le tour du propriétaire à cheval.

— Et qu'est-ce qui te fait penser que je serais d'accord ? demanda-t-il en repoussant crânement son chapeau en arrière.

— Parce que ce serait agréable, non ? Et puis aujourd'hui, je suis au chômage technique. Ils refont la toiture, on ne peut pas entrer dans le café. Et comme j'adore faire du cheval... En fait, c'est une véritable passion.

— Tu ne désarmes jamais, c'est incroyable !

— Oh, Max, on va bien s'amuser ! Allez, dis oui, lui dit-elle d'un ton mi-implorant, mi-enfantin, avant d'ajouter en se rapprochant de lui : Tu pourras me montrer le ranch, ce que tu aimes, comment ça fonctionne, enfin, tout, quoi !

— Hum, hum... Comme, par exemple, à quoi sert cela ? demanda-t-il en brandissant sous son nez une boucle en cuir dont il ignorait totalement l'utilité, à part l'intérêt immédiat de mettre un peu d'espace entre elle et lui...

— Par exemple, oui. Qu'est-ce que c'est, d'ailleurs ?

— Un... une pièce du harnais.

— Oh ! C'est un terme technique, ça ?

— Peu importe ! Bon, tu es certaine que tu veux faire un tour à cheval ?

— Absolument ! Quelle monture me proposes-tu ?

Comment dire non à ces yeux si troublants, presque suppliants et à la fois si assurés de leur pouvoir ? Au moins, sur une selle, il ne pourrait pas l'embrasser et résisterait par la force des choses à la tentation !

— Es-tu déjà montée à cheval ?

— Oui, quand j'étais enfant et j'ai adoré, vraiment.

— Tu sais, ce n'est pas aussi facile que ça en a l'air. Il faut montrer à l'animal qui est le maître, tout en le mettant en confiance.

— Le mieux est que tu me fasses directement la démonstration.

— O.K.

Comment allait-il s'y prendre pour donner le change ? Bien sûr, il savait monter — mais certainement pas comme un cow-boy ! Et pour ce qui était de la confiance entre la bête et le cavalier, cela n'allait pas toujours de soi, comme il l'avait constaté avec Princesse, la jument que Buck lui avait attribuée. Question de phéromones, sûrement ! D'ailleurs, pour cette promenade, il était préférable qu'il prenne un autre cheval, car Princesse voyait trop clair dans son jeu.

Quelques instants plus tard, après avoir reconduit Princesse dans son box, il revint avec une autre jument de taille moyenne, qu'il n'avait pas sellée sans peine ! Il sortit néanmoins de l'écurie en roulant des mécaniques pour jouer son rôle de cow-boy macho. Heureusement qu'elle n'avait pas assisté à la scène précédente !

— Tu vas pouvoir te hisser sur son dos ?

— Je vais essayer, répondit-elle dans un rire nerveux.

— Pose ton pied sur l'étrier, là… Tiens, prends appui sur mon épaule.

L'exercice fut laborieux, d'autant que le jean de Lacey était particulièrement moulant. Elle ne parvint pas du premier coup à se mettre à califourchon. Leurs corps se frôlèrent durant quelques instants, comme s'ils exécutaient un ballet maladroit mais non dépourvu d'érotisme.

— Je vais t'aider, lui dit-il au bout d'un moment. Si tu permets…

Alors il enlaça sa taille et la souleva de sorte qu'elle pût enfin enfourcher le cheval. Victoire ! Elle était en selle ! Du haut de sa monture, elle lui lança un regard de triomphe et cet éclair vert zébra ses reins de picotements.

Splendide figure équestre ! pensa-t-il alors. Sa blouse de reine du rodéo était très féminine et son chapeau, qui projetait une ombre subtile sur son visage, lui prêtait un air mystérieux. Le soleil accrochait des reflets d'or à ses cheveux qui cascadaient mollement dans son dos.

Elle se tenait bien droite sur la selle, ce qui soulignait les courbes de sa poitrine et celles de son postérieur. Cette femme était à croquer. Il eut soudain envie de l'arracher à sa monture, de la faire glisser dans ses bras et d'embrasser sa bouche gonflée, jusqu'à ce qu'elle gémisse de plaisir.

Un brusque coup de museau de son cheval le rappela à l'ordre. Décidément, ces animaux avaient une intuition et une intelligence extraordinaires. Bien ! A présent, il devait lui aussi se choisir une monture… Il opta pour un animal de taille moyenne, qu'il sella en tâchant d'éviter le regard dédaigneux de Princesse.

Quand il ressortit de l'écurie d'un air crâne, bride en mains, ce fut pour trouver Lacey malmenée par sa jument : cette dernière ne cessait de renifler et de hennir bruyamment. Il se précipita vers elle.

— Sois moins raide, lui conseilla-t-il, bouge en même temps que ton cheval.

Elle se laissa alors gracieusement ballotter au gré des mouvements de l'animal et Max regretta ses propos. Comment allait-il résister à la tentation de cette divine ondulation pendant toute la promenade ? Cette femme jouait avec ses nerfs !

A son grand dam, il s'aperçut alors que sa propre jument s'était éloignée lorsqu'il avait lâché sa bride… sans l'attacher ! Il s'élança derrière elle. Comme pour se moquer de lui, elle tournait en rond dans la cour. Il parvint enfin à la maîtriser.

— Allons-y, déclara-t-il alors d'un air déterminé.

— McLane, mais qu'est-ce que tu fais ? s'écria soudain Buck en émergeant de l'autre côté de la clôture. Oh, mademoiselle Lacey, comment allez-vous ? Je ne vous avais pas vue.

94

— Salut, Buck, lui dit-elle dans un grand sourire.

— Que faites-vous dans les parages ?

— Max va me faire visiter le ranch, expliqua-t-elle.

— Maintenant ? s'étonna le vieil homme.

— Euh… oui, fit Max, à moins que tu n'aies besoin de mes services pour une tâche qui ne peut attendre.

— Non, non, répondit le vieux cow-boy d'un ton cette fois un peu ironique. Allez vous promener, la vie est plutôt calme, par ici, en ce moment. Amusez-vous bien.

Se penchant alors pour ramasser le chapeau de Max qui était tombé par terre dans la bataille, il en profita pour ajouter :

— Je vois que tu as choisi Tout feu tout flamme. C'est un animal adorable, mais méfie-toi tout de même, il a tendance à envoyer ses cavaliers dans les branchages, c'est une manie, chez lui.

Max se maudit intérieurement tout en affichant un sourire flegmatique.

— Vous êtes entre de bonnes mains, mademoiselle Lacey, assura encore Buck en se tournant vers cette dernière. Max est l'un de mes meilleurs cow-boys.

Vieux malin, pensa Max, un rien remonté contre son boss.

— Je n'en doute pas, fit à son tour Lacey.

Devenait-il paranoïaque ? Il lui semblait que ces deux-là se moquaient de lui. Non, impossible, Lacey croyait dur comme fer qu'il était cow-boy. Dieu merci, elle n'avait pas l'air d'être une excellente cavalière. Ainsi, l'honneur serait sauf.

— On y va ? demanda-t-elle, sourire à l'appui.

— *Ladies first*, répondit-il de la même façon.

Là-dessus, d'un gracieux mouvement de reins, elle fit pivoter son cheval et partit au trot. Max lutta quelques secondes avec Tout feu tout flamme et parvint à imposer sa volonté à l'animal qui emboîta le pas à la première monture. Eh bien, l'après-midi promettait d'être chaud !

Une heure plus tard, Max était assis sur le sofa du mobile-home de Lacey, un sachet de glace sur la tête — sur l'insistance expresse de cette dernière !

— Max, ça n'a rien à voir avec tes aptitudes à monter, lui répétait-elle. Tout feu tout flamme t'a délibérément jeté à terre.

— J'aurais dû mieux serrer le harnais, marmonna-t-il entre ses dents.

— Tout cow-boy, aussi doué soit-il, n'est jamais à l'abri de la perfidie d'un cheval, le rassura-t-elle, réellement désolée pour lui.

Elle déplorait cette chute tout autant que lui et lui aurait trouvé toutes les justifications du monde. Sa fierté de macho devait être sacrément égratignée !

— Comment va ta tête ?

— Bien, bien, c'est juste une petite bosse de rien du tout, pas besoin d'épiloguer. La glace est tout à fait superflue.

— Conserve-la encore un petit peu, ça ne peut pas te faire de mal. Bon, tu ne te sens pas un peu endormi ? Laisse-moi examiner tes yeux.

Après tout, si ça l'amusait de jouer les infirmières ! Au point où il en était...

Elle eut du mal à se concentrer sur l'examen de ses séduisantes prunelles. Elle devait pourtant vérifier si ses pupilles étaient aussi dilatées l'une que l'autre ! Ces deux disques noirs dans leur velours sombre semblaient parfaits, si intenses, si — « Ça suffit, Lacey ! », lui intima une petite voix intérieure.

— Je vais désinfecter ta joue, annonça-t-elle subitement en se dirigeant vers la salle de bains.

— Ce n'est pas la peine, ce sont juste des petites éra-flures.

Pourquoi fallait-il qu'en sa présence, il se blesse cons-tamment ? Il n'était pourtant pas un homme maladroit. Or, depuis qu'il connaissait Lacey, il accumulait les plaies et les bosses. D'abord avec le bouchon du carter, puis le coup de marteau sur le pouce et maintenant la chute de cheval. Cette femme lui portait-elle la poisse ?

Elle reparut, avec son éternel arsenal, et s'assit à côté de lui. Un peu trop près d'ailleurs... Hum, hum, ce rôle d'in-firmière était un bon prétexte, n'est-ce pas, chère Lacey ? l'interrogea-t-il d'un regard muet. Mais elle n'y prit garde.

— C'était génial, cette promenade, lui dit-elle en imbibant son coton d'alcool à 70°. Je comprends pourquoi tu aimes tellement ton métier. Ce contact permanent avec la nature, c'est réellement grisant. Et puis tu travailles remarquable-ment bien. La clôture que tu as réparée était comme neuve après.

— Tout à l'heure, tu disais qu'elle n'était pas tout à fait droite, dit-il, un sourire aux lèvres.

— C'était juste pour te taquiner, expliqua-t-elle en lui appliquant le coton sur la joue.

— Oh, tu veux ma mort, Lacey !

— Ce que tu peux être douillet, tout de même !

— Non, je ne parle pas de ton coton, je commence à être habitué...

S'emparant brusquement de la main secourable, il enchaîna son regard au sien tandis que, pour sa part, une vague de chaleur la submergeait de la tête aux pieds.

Enfin ! pensa-t-elle, soulagée. Ils atteignaient le moment où, au cinéma, cet échange de regard débouche immanqua-blement sur une scène d'amour. Une seconde encore, et ils s'embrasseraient. Son lit était à deux pas... Mais ils pouvaient parfaitement rester sur le canapé ! Peu importe l'endroit, pourvu qu'on ait l'ivresse. Elle se représentait déjà la scène, Max couché sur elle. Elle avait l'impression d'être au sommet d'une montagne et de se laisser bientôt glisser, glisser jusqu'en bas, avec un sentiment de griserie intense…

Soudain, la bouche de Max captura la sienne et en prit possession, dans un élan fougueux. Encore mieux que l'autre jour, sous le geyser, dans la cuisine. Elle inclina légèrement la tête, afin que leurs bouches s'épousent mieux. Quel divin baiser ! De la magie à l'état pur. Lorsque leurs langues se mêlèrent, un véritable feu s'empara de tout son être et alors…

Et alors une chose horrible se produisit ! Le sachet de glace tomba entre eux. Ils se détachèrent spontanément l'un de l'autre et le bloc finit sa chute sur les genoux de Max.

— Je crois que c'est un signe du destin, déclara-t-il. Notre histoire est impossible.

La flamme qui consumait ses yeux contredisait de façon flagrante les propos qu'il venait de tenir.

— Mais pourquoi ? protesta-t-elle, frustrée. Aujourd'hui, je suis parfaitement sobre, et tous les deux, nous sommes d'accord sur le fait qu'il ne s'agit que d'une passade.

A cet instant, elle ferma les yeux, dans la brûlante attente d'un autre baiser. Derrière l'ombre de ses paupières closes, elle le sentit hésiter, puis l'entendit jurer… Enfin, ses lèvres se plaquèrent sur les siennes, et il lui donna un baiser aussi violent que bref. Se levant ensuite d'un bond, il déclara :

— Je dois y aller.

— Pardon ? fit-elle, littéralement assommée par ce baiser coup de tonnerre.

— Du travail m'attend à l'écurie. Je dois brosser les juments.

— Quoi ? Tu préfères te livrer à des travaux de… de manucure plutôt que coucher avec moi ?

— Arrête, Lacey, tu sais parfaitement que ça n'a rien à voir…

Il riva son regard au sien, et la promesse d'un monde de plaisirs inouïs dansa à cet instant dans les yeux du beau Max. D'une voix que le désir enrouait, il ajouta :

— Si je reste ici une minute de plus, je ne vais plus pouvoir repartir.

S'emparant alors de son chapeau, il se dirigea d'un pas décidé vers la porte.

— A demain, dit-il en lui jetant un long regard par-dessus son épaule.

— C'est ça, à demain… , dit-elle en le regardant s'éloigner d'un air rêveur.

Gagné ! pensa-t-elle en serrant les poings, triomphante. Max venait de lui avouer son désir. Parfait ! Elle allait le tourmenter encore et encore, jusqu'à ce qu'il rende les armes.

— Comment s'est passée votre balade ? lui demanda Buck le lendemain tandis qu'ils savouraient un café bien noir, avant de se mettre au travail.

— Bien, bien. Mis à part que Tout feu tout flamme a voulu prouver qu'il méritait bien son nom.

— Oh, tu as mordu la poussière… Je me demande si tu sais ce que tu fais, mon garçon.

— Mais oui, je sais monter à cheval, je t'assure !

— Non, je veux dire avec Lacey. C'est une fille adorable, tu sais, mais si naïve ! Capable de succomber aux beaux parleurs, si tu vois ce que je veux dire.

— Tu es injuste, Buck, s'indigna-t-il. Je fais précisément de mon mieux pour… pour…

— Pour contrôler ta libido, c'est ça ? Eh bien, tu as raison, parce que Wade est ultra protecteur et il n'aime pas qu'on tourne autour de sa sœur. Ah, ajouta-t-il en riant, je te conseille de prendre des douches froides, ça fait passer les ardeurs !

— Des glaçons font aussi parfaitement l'affaire, maugréa Max.

— Pardon ?

— Non, rien…

Les glaçons l'avaient sauvé *in extremis*, hier. En dépit de ses efforts surhumains, il avait fini par l'embrasser et nul doute que les choses auraient dégénéré sans ce petit incident. Il devait à tout prix se tenir à distance du mobile-home.

Le pire, c'était que même Buck soupçonnait quelque chose. Son désir devait se voir comme le nez au milieu de la figure. Soudain, le vieux cow-boy reprit :

— Tu sais, je peux demander à Ray — du ranch voisin — de me prêter main-forte, de temps en temps. Ainsi, tu pourras travailler au café à plein temps. Le plus vite tu finiras le travail là-bas, le plus tôt tu partiras d'ici, et l'irrémédiable pourra peut-être être évité.

— Non, Buck, protesta-t-il, j'ai un contrat avec toi et…

— Bah, Ray et moi pourrons parfaitement nous débrouiller, je t'assure.

— Dans ces conditions… De toute façon, je suis lucide, je sais bien que je ne te suis pas d'une grande aide sur le ranch.

— C'est faux, j'ai beaucoup apprécié ton travail, lui dit Buck d'un ton affectueux. Mais tu es un citadin, tu me rappelles mon fils.

Il prit le temps de cracher un peu de tabac avant d'ajouter, en le scrutant de son air de vieux sage :

— Tu pourrais peut-être rendre service à l'un de mes amis…

— Avec plaisir. De quoi s'agit-il ?

— J'ai un voisin qui fabrique des ceintures, de superbes ceintures en cuir, mais question vente, il n'y connaît rien. Tu pourrais lui révéler le secret des chiffres.

— Entendu !

Max était finalement heureux de la proposition de Buck. Néanmoins, une chose le tracassait : pourquoi se comportait-il comme un adolescent qui a ses premières montées de testostérones dès qu'il apercevait Lacey ? Elle était la sœur de Wade et il avait pour mission de la surveiller, nom de Dieu ! Et d'ailleurs, elle n'était absolument pas son type de femme.

Ils appartenaient à des mondes différents — mais pas au sens où Lacey l'entendait ! Tout comme Heather, sa petite amie d'autrefois, Lacey avait grandi dans une famille de privilégiés ; elle avait baigné dans la sécurité qui va de pair. La fortune familiale représentait un filet de sécurité tendu au-dessous de la corde raide financière contre laquelle ses projets pouvaient éventuellement achopper. Lui, en revanche, avançait sans garde-fou. Personne ne serait là pour le ramasser, s'il venait à tomber. Certes, il acceptait que Lacey le soigne de temps à autre, mais il refuserait toujours toute aide pécuniaire de sa part.

Farouchement indépendant, il souhaitait rencontrer une femme qui comprendrait ce trait de caractère fondamental chez lui et l'apprécierait. Lacey ne donnait pas spécialement l'impression d'être âpre au gain, mais il n'empêche qu'il lui tenait à cœur d'intégrer la Wellington. Décidément, elle n'était pas la compagne idéale. Bon sang, pourquoi exerçait-elle sur lui ce terrible pouvoir d'attraction ? Dès qu'elle entrait dans son champ de vision, son cœur cessait de battre durant

quelques secondes, avant de se remettre à tambouriner violemment, comme traversé de secousses électriques.

En outre, selon Wade, elle était déjà fiancée. Et même
si, pour sa part, elle prétendait avoir rompu avec son petit
ami, elle n'était pas du genre à avoir des aventures. Ses yeux
verts reflétaient, certes, une détermination et une indépendance farouches mais, avec un peu d'attention, on y décelait
également de la vulnérabilité. Il était facile de la blesser. Et
Max ne voulait certainement pas être responsable d'un tel
sacrilège. Pas plus qu'il n'autoriserait un autre à le commettre.
Un instant, il fut tenté de prendre des renseignements sur ce
Pierce pour savoir s'il était un homme convenable. Alors, à
la pensée de ce col blanc étreignant la délicieuse Lacey, une
sorte d'étau enserra sa poitrine et ses poings se refermèrent
malgré lui. Non, il était préférable qu'il ne rencontre jamais
ce fourbe ! Car le cow-boy qui sommeillait en lui pourrait
réellement se réveiller et envoyer Pierce au tapis. On ne se
frottait pas impunément à l'Ouest sauvage. En tout cas, que
son fiancé, ex ou pas, se le tienne pour dit. Sinon, il y aurait
un règlement de compte à OK Corral.

— Lacey, il est grand temps que nous ayons une discussion, tous les deux.

A l'autre bout du fil, Pierce fulminait. Depuis leur rupture, il n'avait plus donné signe de vie si bien qu'elle avait naïvement cru qu'il avait fini par se résigner.

— Je t'ai laissé trois semaines pour réfléchir, poursuivit-il, mais à présent j'ai besoin de te voir.

Manifestement, il refusait de rompre. Aïe ! Lacey se redressa sur sa chaise — recouverte le matin même par ses soins d'un tissu en velours zébré — et rétorqua d'un ton agacé :

— Pierce, je n'ai pas changé d'avis.

— Et moi, je veux absolument te revoir. Et puis, nous recevons nos clients californiens, vendredi prochain. Ensuite, je t'emmènerai chez *Alberto*. Nous pourrons tranquillement parler devant une tasse de chocolat chaud. Je sais que tu adores leur chocolat.

— Non, Pierce, je ne peux pas. Je suis occupée.

— Tu peux bien te libérer pour un soir, tout de même !

— Pas vendredi, en tout cas.

Elle disait vrai. Elle devait auditionner des groupes pour l'inauguration du café. Naturellement, elle ne pouvait pas le lui dire. Il se serait empressé de le répéter à Wade, ce qui aurait été fatal à son projet.

— Lace, reprit-il en changeant de tactique, tu me manques. J'ai envie de te voir.

— Désolée, Pierce, mais c'est mieux ainsi. Je…

— Lacey, viens goûter ma sauce, vite, ça ne peut pas attendre ! lui cria brusquement Ramòn des cuisines.

— Pierce, déclara-t-elle alors précipitamment, je dois te laisser, il y a un problème en cuisine. Je te rappelle.

Là-dessus elle raccrocha. Qu'aurait-elle pu ajouter ?

Certes, il y avait un problème en cuisine, mais il n'était pas du tout d'ordre culinaire. Il tenait en réalité à la personnalité de Ramòn qui était devenu aussi exigeant et autoritaire qu'un grand Chef. Elle devait systématiquement abandonner séance tenante ce qu'elle était en train de faire pour venir goûter une sauce, une mousse ou une spécialité mexicaine. Ça aurait fini par devenir réellement irritant, si l'intention n'avait pas été si adorable et la nourriture aussi délicieuse.

L'esprit soucieux, elle se hâta vers les fourneaux devant lesquels s'agitait Ramòn. Ce n'était pas tant d'avoir écourté sa conversation avec Pierce qui la tracassait que la venue des Californiens. Elle aurait tant aimé participer aux négociations. Depuis qu'elle avait débarqué ici, elle avait l'impression d'être totalement hors circuit. Les rénovations l'avaient tellement accaparée qu'elle avait un peu perdu de vue le but qu'elle s'était fixé, à savoir intégrer le conseil d'administration de la Wellington. Quant au projet californien, il lui était carrément sorti de la tête, alors qu'elle aurait dû communiquer ses idées à Wade par courrier électronique.

Allons, pas de panique ! Dans quelques semaines, quand son café connaîtrait le succès escompté et qu'elle aurait pris du galon, elle retournerait chez *Alberto* lors de ses pauses déjeuners et pourrait à loisir compulser tous les dossiers de la Wellington et donner son avis. Un avis que l'on respecterait.

En passant sous l'arcade qui menait aux cuisines, elle aperçut Max, assis à une table, en compagnie d'un autre cow-boy. Les deux hommes étaient penchés sur l'écran d'un portable, Max parlait sans discontinuer tandis que son comparse se contentait de hocher la tête. Un lasso était posé sur la table, à côté de l'ordinateur. Curieux contraste ! Depuis quand les cow-boys se souciaient-ils d'informatique ? Evidemment, la gestion d'un ranch avait évolué depuis les derniers westerns, nul doute qu'elle s'était sensiblement modernisée. Il fallait calculer les surfaces à exploiter, les coûts de nourriture des animaux… Tout de même ! Elle restait perplexe devant les talents de Max en ce qui concernait l'équilibre d'un budget. Et son maniement d'Excel était des plus étonnants.

Du coin de l'œil, elle vit le cow-boy prendre congé de Max, reprendre son lasso et s'éloigner. Max attrapa son regard au vol avant qu'elle n'ait le temps de détourner les yeux. D'ailleurs, la curiosité lui brûlait la langue.

— Que faisais-tu ? lui demanda-t-elle.

— C'est un ami de Buck, je lui donnais un coup de main en… en maths.

Pourquoi avait-il l'air subitement si gêné ? Décidément, plus elle en apprenait sur Max, plus le monde des cow-boys devenait mystérieux à ses yeux.

Ce dernier savait-il que des petits bouts de sciure s'étaient logés dans ses cheveux, par ailleurs ébouriffés ? Ce qui lui donnait un air particulièrement attendrissant ! Les chocolats chauds de chez *Alberto* pouvaient bien attendre, ils ne pesaient guère dans la balance, face à cet homme. Pour lui, elle y renonçait et était prête à passer le vendredi soir dans une botte de foin. En sa compagnie, s'entend !

— Eh bien, ce n'est pas trop tôt ! s'exclama Ramòn en l'apercevant des cuisines. Goûte ceci.

Ce disant, il la rejoignit derrière le comptoir et lui tendit une saucière. Elle y trempa un doigt gourmand. Mmm ! Quelle délicieuse sauce au chocolat ! Relevée d'une subtile touche d'épices et riche en beurre, elle était parfaite.

— Un délice, décréta-t-elle en fixant non pas Ramòn mais Max. Tu veux goûter ?

Sans attendre la réponse, elle plongea une petite cuillère dans le liquide noir et fondant, tout en prenant garde de ne pas en faire tomber. Elle l'approcha alors de la bouche de Max, et riva ses yeux aux siens. Le temps se figea durant quelques secondes. Quelques secondes d'intimité… Des frissons la parcoururent. Les prunelles de Max étaient aussi noires et veloutées que la sauce au chocolat qu'elle lui tendait. Et elle se liquéfiait sous son regard, semblable au cacao qui fondait dans sa bouche…

— C'est exquis, dit-il en goûtant enfin la préparation.

A quoi faisait-il allusion ? A la sauce qu'il était en train de goûter — ou à la personne qu'il était en train de dévorer des yeux ? Ce fut alors qu'il ferma les paupières, comme pour retenir cet instant de plaisir. Quand il lui ferait l'amour, serait-ce ainsi ? se demanda-t-elle subitement. La déguste-rait-il de façon si appliquée ?

— *Diòs mío*, marmonna Ramòn, allez au moins dans la chambre !

A ces mots, elle se sentit violemment rougir et elle aurait juré que les joues de Max s'étaient elles aussi légèrement colorées.

— C'est une réussite, Ramòn, déclara-t-elle d'une voix aussi naturelle que possible en lui rendant la saucière. Elle doit absolument figurer au menu.

— Ramòn est un chef, renchérit Max, désireux lui aussi de passer rapidement sur l'observation du cuisinier.

— Et pas des moindres, insista Lacey. D'ailleurs, il a le tempérament des plus grands, ce qui est un signe incontestable.

A cet instant, elle chercha le regard de Max, mais les beaux yeux noirs se détournèrent vers la fenêtre. Depuis l'incident du sachet de glace, il était sur ses gardes. Il devait regretter de s'être laissé aller, à l'instant ! De son côté, elle savait que s'ils s'embrassaient de nouveau, cette fois, ils n'en resteraient pas là. Forte de cette conviction, elle attendait son heure selon l'adage connu : rien ne sert de courir, il faut arriver à point.

— J'ai commandé la chaîne hi-fi dont nous avions parlé, lui annonça-t-il afin de bien lui signifier qu'entre eux, il ne pouvait être question d'autre chose que de business.

— Crois-tu qu'on puisse se permettre cette acquisition ?

— J'ai obtenu de bons prix sur le mobilier, ce qui nous laisse une marge confortable pour la sono.

— Pourrais-tu me remontrer le budget ?

— Pas de problème. Mais tu étais si occupée à monter l'arcade au-dessus de la scène, ces derniers jours.

— J'éprouve toujours le besoin de mettre la main à la pâte, c'est plus fort que moi.

Elle adorait voir se concrétiser les projets tracés sur le papier, comme cette arcade de bois qui surmontait la scène.

— Tu sais que tu es adorable, une scie sauteuse à la main ? dit-il d'un ton taquin.

Elle lui lança un regard sceptique.

Elle regrettait de lui avoir abandonné le budget pour se consacrer elle-même à la décoration. Mais force était de constater qu'il savait mieux manier les tableurs que les ponceuses.

— Ne t'inquiète pas pour le budget, déclara-t-il subitement comme s'il lisait dans ses pensées.

Oh, le budget ne la tracassait pas outre mesure. Non, ce qui lui posait problème, c'était cette façon qu'elle avait de se reposer systématiquement sur lui. Ce projet, c'était le sien, sa carrière en dépendait ! Elle n'avait pas à s'en remettre à lui pour une question aussi importante que le budget.

— J'aimerais tout de même y jeter un coup d'œil. Mais pour l'instant, plus de dépenses, O.K. ?

— C'est toi le chef. A propos, Jasper aimerait te parler.

— Que se passe-t-il ? Tu as l'air soucieux.

— Pas du tout. Va le voir, et ensuite, on regarde ensemble le budget, d'accord ?

Elle acquiesça lentement de la tête. Son oncle avait-il encore commis quelque sottise ?

L'atelier de Jasper commençait à prendre forme. Il avait disposé ses anciennes sculptures à l'entrée de l'énorme préfabriqué en forme d'igloo tandis que la partie atelier en tant que telle se trouvait au fond. Le lieu résonnait formidablement, comme un hangar à avions, d'autant que Jasper était en train de donner de grands coups de marteau. Il travaillait sur une nouvelle sculpture en fer forgé.

Il faisait un peu trop chaud, ici, pour un homme de son âge, pensa-t-elle. Elle devait absolument faire installer la climatisation.

— Coucou, Jasper.

— Oh, Lacey !

— C'est génial, ton atelier.

— Oui, dit-il en s'essuyant le front, mais il faudrait faire une ouverture dans la toiture, car c'est un peu sombre. Qu'en penses-tu ?

— Euh… oui, on se renseignera. Et puis ce sera aussi en fonction de notre budget. Ce qu'il te faut de toute urgence, en revanche, c'est la climatisation.

Soudain, Jasper laissa tomber son travail et lui tendit une feuille.

— Tiens, annonça-t-il, ce sont les estimations pour le vasistas.

— Oh, fit-elle d'un air circonspect.

Soudain, elle réalisa qu'il s'agissait d'un bon de commande !

— Mais… les ouvriers viennent dès demain ?

— Je peux toujours les appeler pour annuler, Lace, si tu penses qu'on ne peut pas se le permettre.

— Non, non… C'est une bonne idée, tu as raison, tu as besoin de lumière. Mais dis-moi, cet endroit est déjà presque plein à craquer.

— Je prends mes aises… Tu sais, je crois que je vais me mettre à fabriquer une tortue préhistorique en métal.

Lacey lui sourit affectueusement, balaya la pièce du regard… Une idée venait de naître dans son esprit.

— Tu sais, Jasper, tu as presque assez de pièces ici pour faire une expo.

— Tiens, c'est drôle que tu me dises cela, parce qu'hier, le proprio de la galerie L'Art à voir est passé me faire un petit coucou. Il semblerait qu'on lui demande régulièrement des nouvelles de mon travail.

— Voilà qui ne me surprend nullement. N'oublie pas que tu es un artiste réputé à Tucson !

— Bah, ma petite Lace, tu n'es pas objective parce que je suis ton oncle… Mais il est vrai qu'une expo, ce pourrait être sympa.

— Et si on transformait ton atelier en une galerie ? s'exclama soudain Lacey, les yeux brillants.

— Non, c'est trop compliqué, et puis, il faut avoir quelques notions commerciales, ce qui n'est absolument pas mon cas.

— Quelle importance ! Contente-toi de ton rôle d'artiste. Pour les considérations pécuniaires, nous louerons les services de personnes compétentes en la matière.

Déjà, elle imaginait l'espace aménagé différemment, avec la lucarne bien sûr. Dans son esprit elle voyait déjà tous les visiteurs que l'art de Jasper attirerait. Elle s'empressa de faire part de ses suggestions d'aménagement à son oncle avant de lui demander, les yeux pétillants :

— Alors ?

— Je ne sais pas… Tu sais, je suis très heureux de mon atelier, je peux m'en contenter.

— Cesse de te sous-estimer, Jasper. Ce serait génial. Nous aurions un formidable pôle culturel ici.

— Ne penses-tu pas qu'il serait préférable de s'en tenir au café-théâtre, pour ce qui est de la culture ? Même s'il est vrai que ta proposition est tentante.

Evidemment, elle était bien consciente que cette transformation allait entraîner de nombreux frais. D'un autre côté, cette galerie était susceptible de rapporter un beau petit pécule.

— Je vais exposer l'idée à Max et voir si le projet est compatible avec notre budget.

Elle espérait de tout son cœur que ce dernier ne lui avait pas caché de mauvaises nouvelles car, connaissant Jasper, elle ne doutait pas que cet investissement prometteur allait s'alourdir de minute en minute.

Une heure plus tard, après examen du budget avec Max, elle poussa un soupir de soulagement. Les chiffres étaient bien meilleurs qu'escomptés.

— Et moi qui croyais qu'on était dans le rouge !

Ils étaient tous deux assis au comptoir, en train de siroter une bière mexicaine.

— Tu vois ? fit-il avec un petit air bravache. Tu ne te rendais pas compte que tu disposais de tant de ressources.

— Apparemment non !

Quelque chose la chiffonnait néanmoins. Elle aurait juré que le budget consacré à la publicité était plus élevé aujourd'hui que la première fois où ils l'avaient évoqué ensemble. Et certains frais n'avaient-ils pas été oubliés ? Elle aurait dû se pencher de plus près sur le problème. Difficile à présent de poser des questions sans paraître méfiante. Il paraissait si sûr de lui.

— Je ne sais pas comment tu as fait pour t'en sortir si bien, reprit-elle lentement.

— C'est juste une question de chiffres, lui assura-t-il.

— Il semblerait que tu les manipules comme un magicien.

— Le secret réside dans la façon dont on les ordonne.

— Probablement.

Curieux. Pourquoi avait-elle l'impression qu'il lui cachait quelque chose ? A moins qu'elle ne se fît des idées… Néanmoins, pourquoi n'était-il pas plus fier du budget miraculeux qu'il lui présentait ? Par modestie, peut-être. Ah, cet homme la troublait, si bien que tout lui semblait confus. Ne devait-elle pas au contraire l'encourager pour ses prouesses ?

— Tu as de réels dons en comptabilité, ajouta-t-elle alors. N'as-tu jamais pensé à ouvrir un cabinet de conseils ? Je pourrais te recommander, si tu veux, et…

— Non, merci, fit-il d'un ton sec.

— Réfléchis au moins à l'idée, tu pourrais…

— Non, Lacey, c'est tout vu, ce genre de travail ne m'intéresse absolument pas, répondit-il, presque agacé.

— Oh, je ne voulais pas te vexer ou sous-entendre que le métier de cow-boy n'était pas une occupation honorable, mais…

— C'est bon, n'en parlons plus et oublie tes ambitions pour moi.

Là-dessus, il lui décocha un sourire des plus séducteurs pour lui faire oublier son coup de gueule.

— Excuse-moi, dit-elle en souriant à son tour, puis prenant une large aspiration, elle ajouta : je suis si heureuse que tout se déroule à merveille. Voilà qui va servir les projets de Jasper.

— Il t'a donc parlé de la lucarne.

— La lucarne ? Ah oui ! Mais il ne s'agit pas de cela.

— C'est-à-dire ?

— J'ai suggéré à Jasper de transformer l'atelier en galerie.

— Quoi ?

— Contrairement aux apparences, c'est un artiste reconnu dans la région, même s'il s'est coupé de la scène artistique locale, ces dernières années. Autrefois, il exposait régulièrement. Alors cette galerie, ça lui permettrait de se remettre à flot, tu comprends. La sculpture, c'est sa véritable passion.

— Hum, hum, ça peut être intéressant.

— C'est génial, oui ! Cela redonnerait définitivement à Jasper l'envie de vivre. Depuis son accident, il n'était plus vraiment lui-même, mais là, j'ai l'impression que de nouveau la fièvre de l'art le dévore. Nous pourrions demander des subventions à la Commission des arts de l'Arizona, en soulignant que Jasper peut, en contrepartie, prendre sous son aile de jeunes apprentis. La fille de Ramòn, par exemple, est fort intéressée par l'art. Ses autres enfants pourraient d'ailleurs de temps à autre donner un coup de main en cuisine, contre rétribution, cela va sans dire. Il a une famille nombreuse et…

Il l'écoutait à présent d'une oreille distraite tout en lui souriant tendrement. Cette femme était fascinante.

— Pourquoi souris-tu ? Te moquerais-tu de moi ?

— Pas du tout. Ton enthousiasme est contagieux.

— Peut-être, mais cesse de sourire, cela me déconcentre. Quand je pense à tout ce que j'ai à faire. Il faut que je reçoive une commission sanitaire, une inspection de pompiers pour la sécurité, sans compter le recrutement des serveuses, la publicité, l'audition des groupes…

Néanmoins, tout en énumérant ses nombreuses tâches, elle ne se sentait absolument pas submergée, mais mue, au contraire, par une énergie extraordinaire. Soudain, elle déclara :

— Voilà, tu recommences. Cesse de sourire comme cela, enfin ! Qu'essaies-tu de me dire ?

— Riiien… Seulement, tu me fascines, je ne peux m'empêcher de te regarder. Tu es une fille formidable, tu penses à tout le monde. Si ton frère ne s'en rend pas compte, alors c'est qu'il est aveugle. Allez, je bois à ta santé, dit-il en levant son verre.

— Et moi à la tienne, déclara-t-elle en l'imitant. Je te dois beaucoup, tu sais.

Un ange passa, puis Max déclara :

— Je crois que nous avons eu raison, tous les deux de… de contrôler notre libido. Nous aurions commis une grave erreur.

— Tu crois ?

— J'en suis persuadé.

Quel fatalisme ! pensa-t-elle. Ainsi, il estimait qu'entre eux, le chapitre était clos ? Pouvait-il jurer qu'être assis là, tout près d'elle, le laissait absolument de marbre ? Elle en

113

doutait fort ! Pourtant, elle ne pouvait pas poursuivre ses tentatives de séduction sans s'abaisser. L'heure était certainement venue de renoncer.

— A notre self-control, déclara-t-il en levant son verre.

Elle s'apprêtait à porter un toast à sa défaite lorsque, derrière la vitre, elle aperçut soudain une BMW qui lui était familière… Elle se figea. Non ! Et pourtant… Avec effroi, elle vit une silhouette non moins familière s'en extraire. Pierce ! Génial !

— Que se passe-t-il ? demanda Max en tournant distraitement la tête vers la fenêtre.

— Rien, rien, lui dit-elle dans un petit rire gêné. Que disions-nous, déjà ?

Mon Dieu, dans un instant Pierce serait à l'intérieur. Il était temps de lui faire comprendre que leur rupture était une chose sérieuse. Et elle connaissait un bon moyen de lui faire accepter la réalité, *si seulement Max se montrait coopératif* !

— Ecoute, Max, reprit-elle rapidement, je t'ai déjà parlé de mon ex-petit ami, tu te rappelles ? Eh bien, c'est lui qui vient d'arriver, et j'ai besoin de toi pour…

A quoi bon épiloguer ? Sans même finir sa phrase, elle passa subtilement de son tabouret aux genoux de Max, noua les bras autour de son cou et lui donna un baiser ardent. Comme il tentait de se dégager, elle lui chuchota à l'oreille, d'un ton pressant :

— Je t'en prie, joue le jeu, il arrive.

Et, pour qu'il ne soit absolument plus en mesure de penser, elle captura de nouveau sa bouche et l'embrassa avec une passion inouïe, se pressant contre lui de façon torride, allant jusqu'à glisser une main dans la poche arrière de son jean.

114

Alors, à son grand soulagement, il émit un petit grognement. C'était gagné, il marchait ! Il lui rendit son baiser, l'étreignit à son tour ardemment, avec la force d'un homme capable de capturer un mustang. Il l'embrassait à lui faire perdre haleine, il la serrait à l'étouffer, elle était pantelante.

La porte grinça soudain et ils se dégagèrent vivement. Le flagrant délit était parfait ! pensa Lacey.

— Pierce, que fais-tu ici ? s'écria-t-elle d'un air ingénu.

— Je suis venu te voir. Mais visiblement, je n'arrive pas au bon moment.

— Je te présente Max McLane, mon nouveau compagnon.

Elle sentit ce dernier se crisper, et ajouta, en se tournant vers lui :

— Max, voici Pierce, mon ancien petit ami.

Jouant le jeu à fond, Max l'enlaça alors par la taille. Nul doute que, plus tard, elle devrait lui présenter ses excuses, car elle aurait parié qu'il n'agissait pas de gaieté de cœur.

— Je suis navrée que tu aies assisté à cette scène, mais au moins, maintenant, j'espère que tu me crois.

— Puis-je te parler en privé ?

— Pierce, nous n'avons plus rien à nous dire. Et tout ce que tu as à dire, Max peut parfaitement l'entendre.

Pierce décocha un regard furibond à ce dernier. Pourvu qu'ils n'en viennent pas aux mains, pria-t-elle intérieurement. Le pauvre Pierce serait battu à plates coutures. Certes, elle ne voulait plus sortir avec lui. Elle ne souhaitait pas pour autant l'humilier ou le blesser. Cette petite mise en scène étant uniquement destinée à lui faire entrer dans la tête une bonne fois pour toutes qu'entre eux, tout était fini.

— Qu'essaies-tu de prouver ? finit par lui demander Pierce d'un ton farouche.

— Rien, seulement tu dois accepter notre rupture et...

— Arrête tes c… !

— Je vous en prie, pas de mot ordurier, s'interposa Max. Il me semble que Lacey a été claire, non ?

— De quoi vous mêlez-vous ? rétorqua Pierce. Restez en dehors de cette affaire.

— Cela me paraît difficile, puisque je sors avec Lacey.

Elle lui lança alors un petit regard triomphant. En retour, elle lut dans le sien un avertissement. Il semblait en effet lui dire : « Attends un peu que j'en aie fini avec Pierce. »

— Ne vous rendez-vous pas compte qu'elle se joue de nous ?

— Je vous conseille de partir et de cesser de l'importuner, répondit Max, sinon, c'est moi que vous allez trouver sur votre chemin.

Sur ces mots, il fit un pas en avant, roulant des mécaniques comme un cow-boy de western. Pourvu qu'il soit convaincant ! Il n'avait nulle envie de se bagarrer. Visiblement, son adversaire non plus, puisqu'il recula d'un pas.

— Très bien, fit Pierce, je ne vais pas déranger plus longtemps. Mais sachez qu'elle vous manipule.

— Je ne crache pas sur certaines manipulations, rétorqua crânement Max.

Lorsque la porte claqua derrière Pierce, il pivota sur ses talons et plongea son regard dans les yeux de Lacey.

— Merci pour ta coopération, lui dit-elle, hésitante.

Pourquoi la fixait-il avec ces prunelles de braise ?

— Pourquoi n'aurais-je pas coopéré ? Pourquoi, puisque c'est la vérité ? Je ne savais pas que tu étais sérieuse, Lacey, je pensais que tu cherchais juste une aventure. Mais, là je viens enfin de comprendre tes intentions, cela change tout.

— Vraiment ? fit-elle sous le choc de cet étrange revirement.

« Oui, ma belle, tu vas voir ce qu'il en coûte de jouer avec le feu », pensa-t-il en son for intérieur. Contrairement à ce qu'il avait laissé entendre, il ne supportait pas qu'elle l'ait manipulé de cette manière.

— Oh, que oui ! Nous avons un futur ensemble, Lacey, je le vois clairement, à présent.

D'où venait cette curieuse lumière dans ses yeux ? s'inquiéta-t-elle subitement. On aurait dit qu'il était brusquement possédé.

— Dans un mois, je termine mon travail ici, et alors, à nous le grand Ouest ! Je pense mettre le cap vers l'Oregon et devenir bûcheron.

— Bûcheron ? C'est intéressant...

— Oui, je couperai du bois pendant que toi, tu tiendras notre bungalow. Bon, ce ne sera pas le grand luxe, mais nous aurons toute la nature alentour rien que pour nous. Et puis, quand nous voudrons prendre des bains, nous ferons chauffer de l'eau dans une marmite, dans la cheminée. Dis-moi, tu n'as pas peur des ours et des serpents, au moins ?

La situation prenait une tournure réellement inattendue.

— Max, dans l'Oregon, il fait froid et...

— Tu préfères peut-être le Colorado ? Je connais une ferme où l'on fait de l'élevage de moutons et je suis sûr qu'ils m'emploieraient. Peut-être même que tu pourrais toi aussi y travailler, lors de la tonte, par exemple. Après, tu pourrais filer la laine et me tricoter des pull-overs.

— Max, reprit-elle, dépitée, j'ai un job qui m'attend à Phoenix, je ne peux pas déménager. Et puis... je ne sais pas tricoter !

Pourquoi était-il brusquement si entreprenant, si directif ?

— Tu ne veux donc pas qu'on reste ensemble ?

— Ecoute, je...

Elle était si délicieusement désemparée. Adorable Lacey ! Incapable de résister à son impulsion, il l'embrassa soudain avec fougue. Elle était tout aussi vibrante que lui, et quand leurs langues se mêlèrent, elle poussa un petit gémissement d'abandon. Ses doigts s'enfouirent dans sa chevelure bouclée, enserrèrent son adorable crâne rempli d'idées aussi dures que des diamants.

Elle se pressait contre lui avec ardeur, pour lui montrer à quel point elle le désirait. Oh, lui aussi, en dépit du petit numéro qu'il venait de lui jouer, il la désirait de tout son être. Soudain, sa main glissa sous sa blouse, puis se coula sous la dentelle de son soutien-gorge… Il caressa alors ses seins qui, dès le premier jour, l'avaient tenté, quand elle lui avait servi du café. Il dégrafa bientôt son soutien-gorge. Mmm, sa poitrine était encore plus ferme et plus douce qu'il ne l'avait imaginé.

Il savait qu'il commettait une erreur, que le but était de lui donner une leçon, pas d'abuser d'elle, mais il ne pouvait plus se maîtriser. Il voulait lui retirer cette chemise, lui…

— Max, lui dit-elle, haletante, parvenant enfin à détacher sa bouche de la sienne, nous pouvons peut-être trouver un arrangement. Un week-end sur deux, je viendrai dans l'Oregon, et toi, à Phoenix.

— Pardon ? fit-il, tout à coup dégrisé.

Elle le regardait d'un air terriblement sexy, la bouche gonflée, les joues un peu rougies, si craquante. La tentation à l'état pur… Alors, il fit la seule chose qu'il pouvait faire.

— Très drôle, Lacey, dit-il d'un ton sec.

Ce fut à son tour d'être dégrisée !

La douleur qui passa à cet instant précis dans les yeux de la belle Lacey vint finir sa course sur son cœur à lui. Il fut sur le point de tout lui avouer. La promesse faite à Wade, son imposture, tout… Mais en quoi cela aurait-il été utile ? Alors il tenta de s'en sortir par une pirouette.

— Tu plaisantais, n'est-ce pas ? dit-il. Tu jouais le jeu, comme moi tout à l'heure avec Pierce.

— Oui, c'est ça, je plaisantais, répondit-elle froidement en se dégageant vivement et en remettant de l'ordre dans ses vêtements.

— Il s'en est fallu de peu pour que je te croie.

Il mourait d'envie de se jeter dans ses bras et de lui demander pardon ! Et puis de se noyer en elle comme un éperdu. Mais impossible !

— Vraiment ? fit-elle en laissant fuser un rire faux.

— Il est temps que je parte, annonça-t-il.

— Je t'en prie, dit-elle d'un ton détaché, plaquant un sourire forcé sur ses lèvres.

— On se voit demain ?

— C'est ça, à demain, murmura-t-elle, figée.

A peine sorti, Max fonça droit vers le premier téléphone venu.

— Wade, c'est moi. Désolé de te déranger, mais je dois te confier une chose de toute urgence.

— Qu'est-ce qui se passe ? Le projet n'est pas viable ?

— Oh non, de ce côté-là, tout roule. Non, je voulais te parler de Lacey.

— Elle a compris que tu avais dopé le budget par d'autres fonds que les siens et que…

— Non !

— Parfait, elle a ce qu'elle veut, je présume donc qu'elle est heureuse.

— Wade, je voulais te parler avant que Pierce Winslow ne le fasse.

— Qu'est-ce que Pierce a à voir dans cette histoire ?

— Il est venu au café et… et il y a eu un incident avec Lacey.

— Quoi ? Lacey est blessée ?

— Non, elle va bien… Bon, apparemment, elle a rompu avec ce type, mais comme il ne veut pas comprendre, elle a décidé d'être… démonstrative.

— Qu'a-t-elle fait ? demanda Wade, aussitôt alarmé.

Prenant une longue inspiration, Max répondit d'une traite :

— Elle a suggéré que nous lui fassions croire que nous étions ensemble, tous les deux.

Il s'attendait à se faire incendier… Or, à son grand étonnement, Wade répliqua d'un ton médusé :

— Et Pierce a marché ?

— Oui.

— C'est incroyable ! fit Wade en éclatant de rire.

La réaction de ce dernier commençait sérieusement à l'agacer. Pourquoi le couple qu'il aurait pu former avec Lacey amusait-il tellement son frère ? Un long silence s'ensuivit.

— Mais enfin, toi et Lacey… c'est impossible, enchaîna Wade, flairant l'agacement de son ami. Elle te prend pour un cow-boy.

— Certaines femmes flashent sur les cow-boys, tu sais. Dean Martin ou Clint Eastwood ont longtemps bercé leurs fantasmes.

— Le côté mauvais garçon, c'est ça ? Non, ce n'est pas le genre de Lacey. Elle veut simplement prouver à Pierce qu'elle est indépendante. Quand je pense que cet idiot a marché. Bah, ils vont se réconcilier une fois qu'elle sera de retour à Phoenix ! En tout cas, désolé que Lacey t'ait mêlé à ses histoires.

Max se rappela le goût de sa bouche sucrée, la douceur de ses seins... Assez ! Il était en train de parler avec Wade. Ce dernier poursuivait :

— C'est la fille la plus entêtée de la terre.

Bon sang, quand Wade comprendrait-il que Lacey n'était plus une petite fille mais une femme ? Une femme sexy, désirable, capable de rendre un homme fou.

— Je préférais te prévenir avant que Pierce ne le fasse.

— Ne t'inquiète pas, Max, je sais bien que tu ne toucherais jamais ma sœur. Tu es en quelque sorte mon représentant auprès d'elle. D'ailleurs, c'est une chance que ce soit toi qui te sois trouvé dans le bar, quand Pierce est arrivé. Sinon, elle se serait jetée sur le premier cow-boy venu et qui sait comment tout cela se serait terminé ?

Eh bien, il était dans de beaux draps ! Wade avait une si grande confiance en lui qu'il s'imaginait que lui, Max, voyait sa sœur avec les mêmes yeux que les siens. Il serait vraiment le dernier des salauds s'il couchait avec elle, à présent, pensa-t-il, la mort dans l'âme.

Quand il raccrocha, la conversation qu'il venait d'avoir avec Wade lui trotta longtemps dans la tête. Ce dernier ne sous-entendait-il pas que Max, cow-boy ou pas, n'était pas du tout le type de sa sœur ? Wade lui faisait-il confiance uniquement parce qu'il était persuadé que, de son côté, Lacey ne poserait jamais les yeux sur son ami, sous prétexte qu'ils n'appartenaient pas au même monde ? Une confiance reposant sur une discrimination sociale, en quelque sorte.

Il sentit alors la colère bouillir dans ses veines. Et le désir qu'il nourrissait envers Lacey se fit plus aigu. *Parce que derrière ce désir se profilait l'amour !*

Elle l'avait littéralement envoûté, avec ses yeux verts, cette manie qu'elle avait de se mordre la lèvre inférieure. Sans compter sa détermination, son intelligence. Et puis elle était si attentive aux autres. Si généreuse. Et qui plus est, elle lui faisait confiance.

Cette idée le figea. Certes, cela le flattait… mais l'horrifiait à la fois ! Car il lui mentait et arrangeait le budget dans son dos. Même s'il agissait pour son bien, il ne s'en sentait pas moins coupable.

Quand elle apprendrait sa véritable identité, elle le haïrait. Car Lacey, tout comme Heather, rêvait d'une vie bourgeoise. Elle voulait juste assouvir un fantasme avec un cow-boy. Wade avait raison. Ils n'allaient pas du tout ensemble.

Désormais, il devait uniquement se concentrer sur le travail. Une relation avec Lacey était exclue. Fort de cette idée, il se dirigea vers son mobile-home.

8.

Que faisait Max sur le pas de sa porte ? Quelle catastrophe s'était donc produite pour qu'il vienne frapper à son mobile-home ?

— Que se passe-t-il ? demanda-t-elle d'une voix inquiète.

— Il faut que nous parlions.

C'était donc ça !

— Ah, non, tu ne vas pas t'y mettre toi aussi ! riposta-t-elle, énervée. C'était le refrain préféré de Pierce.

— Puis-je entrer ? insista Max

— Si tu estimes que c'est nécessaire...

Elle s'effaça pour le laisser passer. Devant ses traits tirés et son air éprouvé, il ressentit un vif sentiment de culpabilité. Il se jura de ne plus jamais la blesser.

Une fois la porte du mobile-home refermée, il eut la brusque impression de manquer d'air. Instinctivement, Lacey s'écarta de lui.

— Je veux m'expliquer sur ma conduite.

— Ne prends pas cette peine. C'est moi l'initiatrice de cette comédie idiote qui s'est finalement retournée contre moi. L'arroseur arrosé, en quelque sorte. Ce n'est pas bien grave.

A cet instant, elle voulut rire, mais le rire resta coincé dans sa gorge.

— Je ne voulais pas te blesser, lui assura-t-il.

— Mais je ne le suis absolument pas, mentit-elle. Grâce à toi, je suis enfin définitivement débarrassée de Pierce.

— Lacey, je ne voudrais pas te donner l'impression que je n'en ai rien à faire, mais...

— Tu as raison, Max. Je ne me vois absolument pas filer la laine en attendant le retour de mon cow-boy de mari. Ou pire, geler dans un bungalow dans le Grand Nord. J'ai voulu t'attirer dans mon lit, je me suis conduite comme une ado, je...

Sa voix trembla et elle ne put aller plus loin.

— Lacey, tu es une femme adorable, dit-il alors en la prenant par les épaules. Regarde-moi... Sais-tu combien il m'est difficile de résister à la tentation ? Je dois lutter comme un fou.

— Arrête, s'il te plaît, n'essaie pas de me faire plaisir.

Sa lèvre inférieure se mit à trembler. Alors, elle fit ce geste familier qui lui valait des picotements dans les reins : elle se mordit la lèvre pour l'empêcher de trembler.

— C'est ridicule... J'étais obsédée par l'idée de coucher avec toi, ajouta-t-elle, je ne voyais rien d'autre. Dès que la rénovation du café sera terminée, je partirai. J'ai toute la vie devant moi...

Ses yeux étaient mouillés, mais elle parvint à ébaucher un sourire. Encore une fois, sa détermination et sa vulnérabilité le troublèrent. Il ne pouvait ni discuter avec elle, ni l'embrasser. Elle avait raison. Elle avait toute la vie devant elle pour aimer un autre homme. Elle méritait mieux que ce crétin de Pierce — mieux que lui-même, aussi.

— Tu es une femme remarquable, Lacey, dit-il en la lâchant enfin.

— J'essaie juste d'être moi, répondit-elle dans un sourire timide.

« Ne change rien », pensa-t-il.

Lorsqu'elle referma la porte derrière lui, Lacey éprouva une curieuse impression. L'impression qu'il ne lui avait pas tout dit. Quel secret avait-il donc gardé pour lui ? C'était comme s'il était venu lui faire un aveu, et qu'au dernier moment, il avait reculé. Elle rouvrit la porte, s'apprêtant à le rappeler… Et puis non, c'était trop tard de toute façon. A quoi bon insister ? Elle avait compris la leçon qu'il lui avait donnée, tout à l'heure, en lui proposant de devenir bûcheronne. Mieux valait renoncer à lui.

Elle rentra dans son mobile-home et resta un long moment appuyée contre la porte. Elle ne connaîtrait jamais de nuits d'amour enfiévrées dans cette maison de fortune. Soudain, des larmes vinrent s'écraser sur ses bras croisés. Allons, elle n'allait tout de même pas s'effondrer pour une aventure avortée ! Elle s'était ridiculisée, il était grand temps qu'elle se ressaisisse. Il n'y avait pas que Max McLane sur la terre, elle pouvait avoir des liaisons sans lendemain avec quantité d'autres cow-boys. Puisque Max, pour une raison inconnue, ne voulait pas jouer le jeu.

Bon, elle devait po-si-ti-ver ! Grâce à lui, elle avait chassé Pierce de sa vie. C'était déjà une bonne chose, non ? Mieux que rien, en tout cas. De nouveau, elle se sentit au bord des larmes. Mon Dieu, pourquoi était-elle si sentimentale ? Alors que dans cette histoire, précisément, il n'y avait pas de place pour les sentiments. Vraiment ? fit soudain une petite voix. Assez ! Elle avait du pain sur la planche.

Le jour J était enfin arrivé et la fébrilité ambiante atteignait des sommets. Ce soir, le verdict tomberait. Soit ces deux mois de travail rapporteraient leurs fruits, soit… *soit ce serait la catastrophe !* Lacey ne tenait plus en place, elle avait le trac, comme un artiste qui se produit pour la première fois devant une salle comble. Du coup, elle en aurait presque oublié sa déception concernant Max.

Au fur et à mesure que l'échéance approchait, leur collaboration s'était intensifiée, tout en restant d'ordre strictement professionnel. Ils ne s'étaient pas revus en tête à tête. Pourtant, chaque fois que, par hasard, ils se frôlaient, cet effleurement déclenchait immédiatement en elle une vague de chaleur. Elle s'efforçait de refouler cette sensation, et priait pour qu'il ne vît pas ses tremblements dès qu'il se tenait près d'elle. En outre, elle perdait le fil de ses pensées quand il la regardait avec ses beaux yeux, aussi intenses que langoureux.

Parfois, elle se réveillait au beau milieu de la nuit, étreinte par l'irraisonnable envie d'aller le rejoindre, de l'autre côté de la nationale, et de se glisser dans son lit. Nul doute qu'il ne l'aurait pas repoussée, si elle s'était présentée devant lui dans son négligé de soie, frémissante de désir…

Heureusement que la rénovation du café l'ancrait dans la réalité, occupant entièrement ses journées. Et aujourd'hui, il y avait encore mille petites choses de dernière minute à faire. On attendait de nouvelles chaises pour l'espace cocktail ainsi que des serviettes en papier. Pourvu que la livraison arrive à temps ! priait-elle intérieurement. Ramòn, pour sa part, jurait en espagnol, faisait un bruit d'enfer dans la cuisine. Fidèle à lui-même, en somme.

Bon, tout semblait à peu près en ordre. Le plancher de la scène brillait de tous ses feux. Il était flanqué de deux énormes enceintes qui avaient coûté une fortune. Les tables rondes en granit étaient du meilleur effet. Très in. Les murs avaient été repeints dans des tons prune et saumon, et étaient ornés de tableaux-collages signés Jasper. Elle avait abandonné l'idée des affiches de western. Il y avait notamment un impressionnant autoportrait réalisé avec différents matériaux savamment recyclés : des épluchures de légumes, des pots de yaourt, des boîtes de conserve. Les chaises en velours zébré étaient en harmonie avec les spots recouverts de fausse fourrure de tigre, motifs que l'on retrouvait çà et là sur les murs. L'ensemble était coloré, vivant, à la fois tendance et rétro. Exactement ce qu'elle avait en tête, au départ.

Le comptoir de bois laqué noir rivalisait d'éclat avec le superbe percolateur en acier chromé. Des pots de café et de thé multicolores étaient alignés sur des étagères. Même le vivarium avait bien meilleure mine ! Il faut dire que lui aussi avait eu droit à une couche de peinture et que quelques objets avaient été élimés.

Mon Dieu, pourvu que le complexe et le concept plaisent ! Et que les gens viennent en nombre. Ce soir, ils cassaient les prix. Max l'avait convaincue que ce geste commercial permettrait de fidéliser les clients. Hum, voire… Mais depuis le début, n'était-elle pas censée lui faire confiance ? Il avait été l'épaule sur laquelle elle s'était appuyée. A défaut d'être son amant…

A cette pensée, elle sentit son cœur se serrer et ses yeux dérivèrent spontanément vers sa silhouette de cow-boy. Juché sur une échelle, il accrochait un dernier morceau de fausse fourrure au-dessus de la scène. Pourquoi fallait-il qu'il soit si sexy… et si raisonnable à la fois ? Bah, se dit-elle en soupirant, il avait certainement raison pour eux deux, comme pour le reste. Chaque fois qu'elle repensait à la façon dont il s'était moqué d'elle, après la visite de Pierce, l'humiliation la submergeait. Toutefois, si elle en jugeait à son visage ravagé, il n'était pas sorti indemne lui non plus de tout cela. C'était toujours une petite satisfaction. De temps en temps, elle surprenait son regard intense scotché sur elle, et son cœur cessait de battre quelques secondes… Elle avait ensuite la sensation d'un immense vide, au fond d'elle-même. Hélas, un revirement de situation était exclu. Elle devait se raccrocher au café, ce projet si cher qui avait enfin vu le jour. A propos… Il fallait absolument qu'elle appelle Wade pour lui rappeler d'être là, ce soir.

Oh non, c'était encore son maudit répondeur ! Depuis une semaine, elle ne parvenait plus à le joindre. Pourtant, elle tenait par-dessus tout à ce qu'il soit là ce soir à 6 heures tapantes, avant l'arrivée des clients, car elle voulait lui faire visiter tranquillement les lieux et lui présenter l'ensemble du projet sous PowerPoint.

Son regard revint à Max. Il descendait de l'échelle. Il recula pour admirer son travail.

— Tu crois que les agrafes vont tenir ? Ne vaudrait-il pas mieux mettre des clous ? lui demanda-t-elle.

— Comme tu voudras, c'est toi la chef.

— Je ne voudrais pas que ça tombe. Je veux que tout soit parfait et que Wade soit épaté.

— Oublie un peu ton frère. Ce qui compte, c'est que ça te plaise à toi.

— Certes, mais tout doit être réglé comme du papier à musique afin que Wade croie en mes capacités.

— Ainsi, tu pourras quitter l'endroit l'esprit tranquille.

— Absolument.

— Lacey, pourquoi vouloir partir alors que tu te sens si bien, ici ?

— Mais… Parce que ce n'est qu'un restaurant, et que bientôt ma tâche consistera à m'occuper de tous les restaurants de la Wellington. Ce projet-là, c'est du court terme.

D'accord, elle y avait mis toute son énergie, mais elle ne comptait pas en rester là.

— Court terme ou pas, il faut savoir où se trouve son bonheur, répliqua-t-il en la fixant étrangement.

Son regard était si pénétrant, tout à coup ! Elle eut la désagréable impression qu'il lui volait non seulement ses pensées, mais aussi son âme.

— Peu importe, dit-elle rapidement, je me sentirai mieux lorsque ce tissu sera cloué au lieu d'être agrafé.

— A vos ordres ! dit-il en effectuant un bref salut militaire.

Dès qu'il s'éloigna d'elle, elle eut une brusque envie de le retenir ou de lui emboîter le pas. Pourquoi éprouvait-elle cette attirance animale pour cet homme ? Ce devait être d'ordre physiologique !

— Les livreurs de chaises sont là, claironna Rodney. Et les cartons de serviettes viennent d'arriver en courrier express.

Enfin ! Les chaises et les serviettes, les deux dernières choses qui manquaient encore.

— Je vais aider à décharger, annonça Max.

Bientôt, le café vibra comme une ruche. Max et Rodney placèrent les chaises près du comptoir, les caisses de serviettes s'accumulèrent… Quand tout fut déchargé, Lacey alla signer le bon de livraison. Et ce fut lorsqu'elle rentra dans le café qu'elle comprit que quelque chose ne collait pas. Les chaises étaient trop hautes pour les tables auxquelles elles étaient destinées !

Elle les fixait d'un air épouvanté lorsqu'un cri effroyable la fit sursauter.

— *Madre de diòs* ! s'écria Ramòn, au bord de l'hystérie.

— Oh ! fit à son tour Jasper d'un ton fort déçu.

— Qu'y a-t-il encore ? demanda-t-elle, passablement énervée.

Alors Jasper lui mit sous le nez une serviette dépliée. Quelle horreur ! Le dessin représentait une femme au décolleté suggestif, en train de faire un clin d'œil, un lasso à la main. Pas du tout ce qu'elle avait commandé ! Et qui plus est, d'une trivialité inouïe. Absolument inutilisable !

A cet instant, le téléphone sonna et Jasper décrocha. A la façon dont il plissa le front, elle comprit qu'il s'agissait d'une mauvaise nouvelle. En effet...

— Le groupe de musiciens ne pourra pas être là ce soir, annonça-t-il.

— Ah non ! s'exclama-t-elle, le souffle court.

— Ils sont encore à Mexico, alités et fiévreux. Une indigestion.

— Eh bien, c'est le bouquet, fit Lacey. Je me demande ce qui va encore nous tomber sur la tête.

La réponse ne se fit pas attendre. Le morceau de tissu que Max n'avait finalement pas eu le temps de clouer venait de tomber sur la tête de Rodney, qui en avait trébuché contre une Vénus faite en morceaux de sucre, et... Et à cet instant précis, la lumière et la chaîne s'éteignirent brusquement. Cette fois, c'était la totale. La panique envahit Lacey. La gorge nouée, elle murmura :

— Mon Dieu, que vais-je faire ?

Elle était même incapable de pleurer !

— Ce n'est rien, la rassura Max. Tu vas t'en sortir. Allez !

Il avait raison. De toute façon, elle n'avait pas le choix. Se ressaisissant, elle s'écria d'une voix impérieuse :

— Ce n'est rien, juste un fusible qui a sauté, et il valait mieux que ça arrive maintenant, que ce soir. Ramòn, va le changer.

— Tout de suite.

130

Une minute plus tard, les lumières se rallumaient et la musique repartait. Ouf, un problème de réglé ! Et avec quelle maestria ! Ses yeux tombèrent soudain sur la scie circulaire. D'un geste décidé, elle la ramassa.

— Attention, ne va pas te blesser, lui dit Ramòn.

— Je sais ce que je fais.

Se dirigeant avec la même résolution vers les chaises, elle se saisit de la première, la renversa… et en scia le pied de bois de cinq centimètres ! Elle prit des mesures exactes, et bientôt, la chaise fut réduite à la hauteur voulue. Les applaudissements fusèrent.

— Rodney, peux-tu te charger du reste ?

— Tout de suite, mam'zelle.

— Comment puis-je me rendre utile ? demanda alors Jasper.

— Si cela ne t'ennuie pas, rappelle les groupes que nous avions auditionnés mais pas retenus, pour voir s'il y en a un de libre.

— Pas de problème !

— Max, dit-elle en se tournant vers ce dernier, peux-tu t'occuper de la Vénus et de la fourrure ?

— Vos désirs sont des ordres, madame.

— Merci. Après, pourras-tu aller en ville échanger les serviettes ?

— Mais certainement, madame.

Elle lui adressa un petit sourire pincé et rejoignit les serveuses pour les briefer sur leur job. Espérons que Jasper allait trouver un groupe à la hauteur ! pensa-t-elle.

Deux heures plus tard, Max revenait avec des serviettes plus adaptées. Tout était rentré dans l'ordre et les quatre serveuses avaient pris leur place derrière le comptoir. Toutes portaient un T-shirt léopard et un béret, comme le jour où Lacey avait essayé cet uniforme pour qu'il lui donne son avis. Mais aucune n'était aussi ravissante que sa belle tenancière.

Elle était en train de leur expliquer comment se servir de la caisse enregistreuse électronique, puis les laissait essayer, chacune leur tour. C'était cette image-là qu'il voulait conserver d'elle. Une femme entreprenante et heureuse, qui menait ses projets tambour battant. Ce soir, pensa-t-il encore, l'estomac noué, c'était sûrement la dernière fois qu'il la voyait. Elle n'allait pas tarder à repartir pour Phoenix.

De son côté, Buck lui avait demandé de rester quelque temps encore pour aider Riley Stoker à développer son affaire et il avait accepté. C'était un homme sympathique qui apprenait vite. Il ne doutait pas que son commerce prospérerait bientôt. Un autre ami de Buck souhaitait également que Max lui donne quelques conseils. Pourquoi aurait-il dédaigné ces rentrées d'argent ?

Et puis il ne pouvait pas laisser tomber Jasper avant l'ouverture de la galerie. Il l'aidait activement à transformer l'atelier. Il était notamment intervenu auprès de la Chambre de Commerce pour obtenir des subventions. Il avait alors appris que les créateurs de start-up ou de petites sociétés pouvaient bénéficier de primes intéressantes. L'idée de monter sa propre boîte de consultant lui avait effleuré l'esprit. Pourquoi pas ? Il devait y réfléchir. Finalement, il n'était plus aussi enthousiaste à l'idée de faire carrière dans le bâtiment. Les chiffres, c'était tout de même son domaine et s'il pouvait exercer ses talents dans un cadre moins contraignant... A voir ! En réalité, il ne savait plus très bien ce qu'il voulait. Partir, rester... Etait-ce Lacey qui lui embrouillait les pensées ? De toute façon, elle, un travail de cadre supérieur l'attendait à la Wellington. C'était son monde, plus le sien.

— Max ! Tu es de retour ?

Il sursauta. Perdu dans ses réflexions, il la fixait depuis un bon moment. Son cœur se serra au son de cette voix si adorable. Cette voix que bientôt il n'entendrait plus. Il continua à la fixer, incapable de détourner les yeux. Il se rappellerait toujours leurs longs regards chargés d'électricité et lourds de désirs non assouvis.

— Oh, et tu as même rapporté des fleurs !

— Oui, pour la déco des tables.

— Merci, dit-elle en les lui prenant des mains. Mmm, ce qu'elles sentent bon.

Le nez dans les lis tigrés, elle était la plus belle des fleurs et celle qui sentait le meilleur, pensa-t-il.

— Tu en as pris beaucoup ! Merci infiniment.

Ses yeux étaient remplis de larmes. Un instant, elle avait cru qu'elles étaient pour elle.

—Lacey, tu as réalisé un travail extraordinaire, lui dit-il alors. Et tu n'as pas à craindre le jugement de Wade.

— Je suis si nerveuse !

Il avait une envie folle de la prendre dans ses bras, de la serrer gentiment contre lui, d'embrasser son front, de…

— Tu vas me manquer, Lacey.

La phrase lui avait échappé.

— Tu t'en vas bientôt ? demanda-t-elle. Ah oui, c'est vrai, l'Oregon, la coupe du bois.

Ils se sourirent tristement, comme lorsqu'on évoque le bon vieux temps.

— Mais toi aussi, tu vas partir, je crois ?

— Oui, oui… Max… toi aussi, tu sais, tu vas me manquer.

Elle braqua alors ses yeux verts sur lui, tels des lasers destinés à l'hypnotiser.

— Je penserai à toi…

— Moi aussi…

Conscient qu'il en avait déjà trop dit, il ne put néanmoins se retenir d'ajouter :

— Je regrette que… que…

— Que nous n'ayons pas couché ensemble, c'est ça ?

Couché ? Il aurait préféré qu'elle dise faire l'amour, cela correspondait davantage à ses intentions. Comme il ne pouvait pas la reprendre, il se contenta de hocher la tête.

— Oh, Max…

Dans un brusque élan, elle se jeta dans ses bras. Il ne s'attendait pas à un tel assaut ! Si bien qu'il recula de quelques pas, heurta un socle en plâtre, sur lequel reposait une lampe stylisée et… Et le tout tomba par terre.

— Tu ne t'es pas fait mal, au moins ? fit-elle aussitôt, inquiète.

— Non, non, désolé…

— C'est ma faute.

Les dieux des calamités s'étaient décidément ligués contre eux. Redressant son chapeau, il préféra partir.

6 h 45 ! Tout était parfait. Six cafés différents avaient été torréfiés, moulus et n'attendaient plus qu'à être consommés. Des tasses bleu cobalt étaient alignées sur le comptoir. Pour les amateurs, il y avait également des liqueurs de toutes les couleurs. Chaque table était décorée de quelques lis tigrés et l'arôme mélangé du café, du chocolat et des épices chatouillait délicieusement les narines. Ramòn avait confectionné des cookies au chocolat blanc et aux pistaches, des mini-muffins et des brownies aux trois saveurs, ainsi que des fajitas remplis de farces inédites.

Les serveuses tiraient sur leur T-shirt, arrangeaient leur béret. Oui, tout était parfait, les clients pouvaient arriver. Une chose, pourtant, la contrariait fortement : Wade n'était toujours pas là ! Elle qui ne se rongeait plus les ongles depuis l'âge de dix-huit ans allait finir par replonger dans cette mauvaise habitude. Il avait promis de venir à 6 heures. Quel sacré retard ! Pourquoi tant de désinvolture ? Il aurait au moins pu appeler s'il avait eu un empêchement de dernière minute.

— Waouh, tu es super ! lui souffla Max en glissant un regard appréciateur sur sa robe en satin noir.

— Merci, dit-elle en sursautant.

Elle ne l'avait pas entendu arriver. Seigneur, ce qu'elle pouvait aimer la caresse de ses grands yeux noirs !

— Toi aussi, tu es très chic, ajouta-t-elle.

Il portait un Stetson noir, une chemise blanche ornée d'une cravate étroite, un jean noir et des boots de même couleur. Et dire que tout à l'heure, si elle ne l'avait pas maladroitement poussé contre ce maudit piédestal, peut-être que… Depuis ce nouvel incident, elle n'avait pas eu le temps de lui reparler. Elle espérait que, plus tard dans la soirée, ils finiraient ce qui était alors resté inachevé.

— Qu'est-ce qui ne va pas ?

De nouveau, elle tressauta.

— Oh… c'est Wade. Il avait promis d'être là à 6 heures. J'ai peur que finalement il ne vienne pas.

— Arrête. Et d'ailleurs, avec ou sans lui, ce sera une réussite. Allez, détends-toi.

— Mouais, tu as sûrement raison. Ah, je dois absolument voir Jasper, je ne sais pas quel groupe de remplacement il a trouvé. Je vais…

Oups ! Les premiers clients arrivaient ! Son cœur se serra. L'heure de vérité avait sonné. Prenant une grande aspiration, elle alla à leur rencontre.

Avant qu'elle n'ait eu le temps de s'en rendre compte, l'endroit fut plein à craquer et se mit à bourdonner joyeusement

135

des conversations animées des clients. Lacey, les joues un peu roses, ne savait plus qui elle avait salué et papillonnait, grand sourire aux lèvres, de table en table, de groupe en groupe. Il y avait déjà une sacré ambiance. Génial !

Ramòn était aux anges, on ne cessait de le complimenter sur sa nourriture. Max s'activait entre le comptoir et la salle. Il était là où on avait besoin de lui. De temps à autre, il lui lançait un coup d'œil et lui souriait d'un air fier. Oui, Max était fier d'elle, et cela lui faisait chaud au cœur.

Malheureusement, toujours pas de Wade à l'horizon ! C'était la seule ombre au tableau. Elle regarda sa montre. 8 heures moins le quart. Oh, oh, l'orchestre aurait déjà dû être en place. Où était Jasper ?

— Ils vont arriver, sois sans crainte, lui répondit ce dernier quand elle le trouva enfin.

— Qui as-tu finalement retenu ?

— Eh bien, comme aucun des groupes que tu avais auditionnés n'était libre, j'ai…

— Alors on n'a personne ? fit-elle, un serrement au cœur.

— Calme-toi, Lace, voyons. Fais-moi confiance.

A ces mots, il disparut derrière le rideau de la scène. Pour réapparaître quelques secondes plus tard, micro en main.

— Ça marche, ce truc ? fit-il en tapant sur le micro.

Tous les regards se tournèrent vers l'estrade car l'instrument que Jasper tenait en main avait émis un formidable crépitement, prouvant qu'il fonctionnait.

— Bonsoir, mesdames et messieurs, et bienvenue au *Salon des merveilles*, un complexe vous offrant un salon de thé, un café-théâtre et un vivarium, commença alors Jasper d'une voix solennelle qui résonnait dans tout le café. Eh oui, le vieux *Bar des merveilles* a subi un petit lifting et notre chère *Chose* a pris sa retraite. Mais vous pourrez toujours l'admirer dans sa loge. Et tout ça, grâce à ma nièce, Lacey Wellington. Du beau travail, non ? Applaudissons-la comme elle le mérite.

Un concert d'applaudissements éclata alors dans le café et Lacey se sentit rougir. Elle fit signe à Jasper d'enchaîner.

— Ce soir, nous avons le plaisir d'accueillir sur cette scène le fameux groupe Polka, avec Manny Romero et son trio.

A ces mots, trois musiciens replets, chapeau de paille sur la tête et accordéon autour du cou, surgirent sur la scène. Un murmure d'étonnement s'éleva. Certains pensèrent qu'il s'agissait d'une farce. Hélas non ! Le groupe entonna son premier morceau… Finalement, ce n'était pas mal du tout ! Ils reprenaient des standards du folklore mexicain adapté à un rythme plus moderne et le résultat était assez décalé et fort entraînant.

— Souris, trésor, dit Max en la prenant dans ses bras, nous allons swinguer.

En un rien de temps, elle se retrouva en train de virevolter dans les bras de Max, prise dans le tourbillon de tous les autres couples qui les avaient immédiatement imités. Jamais elle n'avait dansé la polka sur un rythme de rock'n'roll, mais visiblement, cela plaisait à tout le monde. Et l'enchanta littéralement. Les personnes qui ne dansaient pas frappaient dans leurs mains en cadence. Ainsi, ce qui aurait pu virer au fiasco total se transformait finalement en une franche réussite.

A bout de souffle et à regret, Lacey quitta finalement les bras de Max pour aller voir si tout se passait bien derrière le comptoir et en cuisine. C'est alors qu'elle aperçut un homme appuyé contre le mur, bras croisés. Un grand sourire barrait son visage. Wade était enfin arrivé !

9.

— Wade ! s'écria-t-elle en s'élançant vers lui.

Il la serra affectueusement dans ses bras avant de constater :

— Tu es toute trempée.

— Je danse comme une folle depuis un quart d'heure et...

— Effectivement, j'ai remarqué.

— En fait, ce n'était pas du tout ce groupe-là qui était prévu, mais comme on nous a fait faux bond, Jasper a...

— Détends-toi, Lacey, tout est parfait, vraiment. Et regarde les gens, ils ont l'air de réellement s'amuser. La déco est réussie et l'endroit très agréable. Bravo.

— C'est bien vrai, ça te plaît ?

— Absolument.

— Je voulais te faire une surprise...

Elle était un peu déçue de sa réaction. Certes, il venait de la féliciter et elle ne doutait pas qu'il fût sincère. Néanmoins, elle avait espéré un peu plus d'enthousiasme de sa part. On aurait presque dit qu'il s'attendait à toutes ces transformations.

— Mais c'en est une ! renchérit-il d'un ton enjoué.

— Tu sais, c'est moi qui ai tout conçu, enfin, je veux dire, les idées, l'étude et le reste. Et mon équipe a permis à mon projet de voir le jour. J'ai consigné le tout sous PowerPoint et si je t'avais demandé de venir à 6 heures, c'était pour te présenter le dossier complet. Mais faisons-le maintenant, si tu veux bien.

— Plus tard, Lacey, demain. Je dors au *Rancho Gordo* ce soir. Ainsi, nous pourrons prendre le petit déjeuner ensemble et discuter.

— Entendu. Vers quelle heure ?

— 9 heures, ça te convient ?

— Parfait.

La décontraction de son frère la déconcerta. Depuis quand Wade lui faisait-il confiance, lui qui passait son temps à la surprotéger ? Or, ces dernières semaines, à aucun moment il n'avait cherché à savoir ce qu'elle faisait et aujourd'hui, il ne paraissait nullement anxieux — pas plus d'ailleurs qu'il ne semblait pressé de se familiariser avec son projet. Voilà qui ne lui ressemblait guère !

— Alors, demain, on parlera ? insista-t-elle, dubitative.

— Mais oui, Lacey, lui dit-il d'un air distrait avant d'ajouter en fixant la scène : Oh, voilà qui devient franchement intéressant.

Elle se retourna vivement. Les musiciens avaient disparu, laissant la place à une superbe danseuse du ventre. Elle se mit à onduler gracieusement, tandis qu'une musique orientale éclatait dans la salle sous les exclamations ravies de la foule. Les tambourins et les luths résonnaient de manière si vivante qu'on aurait cru qu'un véritable orchestre jouait pour cette Schéhérazade vêtue de voile et de satin couleur pourpre. On aurait dit une scène sortie directement des *Mille Et Une Nuits*. C'était fantastique. Et visiblement, Wade était sous le charme. Incroyable ! Lui qui d'ordinaire était plutôt réservé en ce qui concernait ses relations avec le beau sexe.

Certes, la danseuse était une véritable beauté, dotée de longs cheveux bruns et d'une poitrine généreuse. Et elle oscillait si sensuellement des hanches ! Une véritable invitation au plaisir des sens. Soudain, des coulisses, une hirondelle fut lâchée sur la scène. Elle vint gentiment se poser à quelques pas de la belle Orientale, qui tendit le bras. L'oiseau s'y jucha comme sur une branche puis, de nouveau, la danseuse se mit à chalouper, plus doucement cette fois, tout en fixant sa partenaire. En un battement d'ailes, cette dernière vint alors se percher sur son épaule, ce qui fit choir un des voiles de la danseuse. A la fin du numéro, celle-ci se retrouva torse nu, avec un soutien-gorge en strass doré, tandis que l'oiseau emportait les voiles dans son bec. Lacey fut soulagée de constater que le strip-tease s'arrêtait là, elle n'aurait pas aimé devoir fermer dès le premier soir pour outrage aux mœurs. Elle se tourna vers son frère. Il applaudissait à tout rompre, subjugué.

— Wade, commença-t-elle, je...

— Excuse-moi, je dois parler à cette femme de toute urgence. On se voit demain.

— Comme tu voudras...

Wade lui offrait ce soir un visage peu familier. Il était si décontracté. Si elle s'en réjouissait sincèrement, elle ne pouvait s'empêcher de trouver son attitude quelque peu curieuse.

Une fois seule, elle balaya la salle du regard. Max était derrière le bar. Comme chaque fois qu'elle posait son regard sur lui, il leva les yeux dans sa direction. Cette fois-ci, il vint la rejoindre.

— L'homme avec qui tu parlais, c'était ton frère, n'est-ce pas ?

140

— Oui, il est enfin arrivé.

— Alors ?

— Il a l'air satisfait, mais pas particulièrement bouleversé par la transformation du lieu. A vrai dire, je ne sais pas ce qu'il pense réellement. Nous devons prendre le petit déjeuner ensemble, demain, afin de discuter du projet. J'en saurai alors davantage.

— Je suis certain qu'il est enchanté par ton travail. Mais si le résultat ne semble pas l'étonner autant que ce à quoi tu t'attendais, c'est parce qu'il te fait plus confiance que tu ne le crois.

— Peut-être, fit-elle tout en restant hautement dubitative.

— Alors, tu es heureuse ?

Heureuse ? Quelle drôle de question, elle n'y avait pas réfléchi.

— Oui, je suppose que je le suis…

— Tant mieux, c'est la chose la plus importante.

Le regard de Max balaya son visage, comme s'il cherchait à en mémoriser chaque trait, chaque expression. Ses yeux reflétaient une certaine nostalgie. Soudain embarrassée, elle passa la main dans ses cheveux et déclara :

— Oh, j'ai tellement dansé, je suis toute trempée, mon maquillage a dû couler et…

— Tu es parfaite, l'interrompit-il. Et tu es si belle.

Ses yeux la fixaient avec une terrible intensité, comme si elle était un don de la vie. Mon Dieu, ce qu'elle avait envie de lui !

— Ce soir, j'ai essayé de graver dans ma mémoire chacun de tes gestes, de tes expressions, poursuivit-il. Quand nous dansions tout à l'heure, quand tu passais de table en table, souriante, quand tu parlais à ton frère… Je veux me rappeler chaque moment passé en ta compagnie.

— Pourquoi me dis-tu cela ? fit-elle brusquement, d'un ton presque irrité.

Elle ne connaissait que trop bien la réponse, elle la redoutait tant. Mais il ne pouvait tout de même pas lui dire adieu maintenant ! D'abord, la soirée n'était pas terminée, loin de là !

— Max, reprit-elle, je croyais que... que nous... enfin avant que tu ne...

— Au revoir, Lacey, restons-en là, ne forçons pas le destin.

La prenant alors dans ses bras, il la serra affectueusement contre sa poitrine. Quand elle rouvrit les yeux, il s'éloignait déjà.

Elle voulut s'élancer derrière lui, discuter encore et encore, tenter de le faire revenir sur sa décision. Lui arracher au moins un baiser. Mais, de la scène, Jasper lui faisait de grands signes tandis qu'une serveuse venait l'informer que Ramòn la réclamait de toute urgence en cuisine... Encore une fois, le tourbillon de la réalité reprenait le dessus.

Durant les deux heures qui suivirent, elle régla des crises mineures, s'assura que les clients passaient une excellente soirée tout en priant pour que Max revienne. Hélas, il s'était volatilisé. Elle préférait ne pas s'attarder sur cette pensée qui la glaçait. Si elle voulait le revoir, devrait-elle partir sur ses traces à dos de cheval ? Assez ! Ce qui était d'actualité, c'était de se concentrer sur cette soirée et son bon déroulement. Le reste était trop douloureux.

A 1 heure du matin, elle rentra chez elle, épuisée. En quittant le bar, elle avait aperçu Wade en grande discussion avec la danseuse orientale, près de sa voiture. Hum, hum...

Quant à elle, elle avait hâte de se retrouver seule pour pouvoir réfléchir. Max était parti depuis quelques heures,

142

mais il lui manquait déjà. Heureusement que la soirée était un triomphe, cela la consolait un peu. Néanmoins, elle ne pouvait se résoudre à l'idée qu'elle l'avait définitivement perdu, cette pensée lui était parfaitement intolérable.

La nuit était belle et chaude, pensa-t-elle en se dirigeant vers son mobile-home. De nombreuses étoiles constellaient le ciel du désert et lui renvoyaient leur éclat lumineux. Une chouette hulula au loin, bientôt relayée par un coyote. Plus près d'elle, les criquets entonnèrent un joyeux trille. On aurait dit que la nature s'était donné le mot pour déployer à sa façon un tapis rouge jusqu'à son mobile-home.

— Enfin...

Max ! Lacey pivota vivement sur ses talons. C'était bien lui, là, devant elle. Dans une main, il tenait une boîte d'allumettes et de l'autre, il éteignait une allumette. A ses pieds, gisait un petit tas d'allumettes brûlées.

— Max, s'écria-t-elle enfin. Que fais-tu ici ? Et ces allumettes, qu'est-ce que c'est ?

Laissant tomber sa boîte, il se rapprocha d'elle et déclara :

— Finalement, je suis resté. Je voulais partir, mais je n'en ai pas eu la force.

A cet instant, il l'enlaça par la taille et la lune se mit à briller dans ses yeux.

— Alors j'ai passé un marché avec moi-même, poursuivit-il. Tu vois cette boîte d'allumettes ? Je me suis dit que, quand toutes seraient consumées, si tu n'étais toujours pas sortie du café, je partirais. C'était la dernière que je craquais quand tu es passée devant moi sans me voir.

— Quel synchronisme ! murmura-t-elle.

— J'ai le pouce presque brûlé car je les laissais se consumer le plus longtemps possible.

— Donne-moi ce pouce que je l'embrasse.

Il s'exécuta, avant de pousser un petit gémissement et d'ajouter :

— Mmm, tu es une véritable magicienne. Je crois que d'autres parties de mon corps requièrent tes soins.

Elle se figea, sur ses gardes. Plongeant son regard dans le sien, elle demanda :

— Ce qui veut dire… ?

— Ecoute, c'était plus fort que moi, je ne pouvais pas partir comme ça, sans…

— Max, je suis si heureuse, dit-elle alors d'une voix tremblante d'émotion.

Sur une impulsion, il enserra son visage dans ses paumes et ce simple geste, si tendre et affectueux, la combla de bonheur. Au point qu'une larme lui échappa.

— Je sais pourtant que nos vies sont incompatibles, murmura-t-il, mais…

Sans finir sa phrase, il captura sa bouche, et l'embrassa de façon éperdue, avec une violence sous-jacente, comme un homme en sursis. Son baiser promettait d'infinies voluptés, et elle se sentit soudain toute légère, elle qui, quelques minutes plus tôt, pouvait à peine marcher.

Détachant sa bouche de la sienne, il prononça enfin ces mots tellement attendus :

— Allons dans ta chambre.

Un bras passé autour de ses épaules, il l'entraîna vers le mobile-home. Elle avait l'impression de vivre un rêve. Les stridulations des criquets résonnaient en contrepoint des battements de son cœur. Lorsqu'ils atteignirent la porte, elle chercha nerveusement sa clé dans son sac, soudain submergée par une étrange timidité.

— La soirée était réussie, non ?

— Un véritable succès, répondit-il d'une voix chaude et intime.

144

— Les gâteaux de Ramòn ont fait l'unanimité. Ses fajitas aussi d'ailleurs.

— Tout était parfait !

— Tu sais que les gens ont sollicité le groupe de Manny Romero pour qu'il revienne au moins une fois par mois, dit-elle en trouvant enfin sa clé.

— Je suis si fière de toi, Lacey.

— Moi aussi, je dois l'avouer, dit-elle en riant.

Non seulement le *Salon des merveilles* était une réussite, mais elle était enfin parvenue à conquérir ce séduisant cow-boy. Elle n'arrivait pas encore à y croire.

Curieux, pensa-t-elle alors, elle ne voyait plus en lui un cow-boy, mais simplement Max, un homme qui l'attirait, indépendamment de sa profession. L'homme qui l'avait épaulée, encouragée et fait danser, tout à l'heure, sur des airs entraînants. Celui qui avait acheté les lis tigrés, jonglé prodigieusement avec les chiffres de son budget. Et qui, à présent, allait coucher avec elle.

Max ne possédait pas la rudesse du grand Ouest sauvage. Ses beaux yeux déclinaient des émotions plus subtiles, de l'affection, de l'attention… Et qui sait s'ils n'exprimaient pas davantage dans leurs profondeurs secrètes ? Mais elle préférait ne pas résoudre cette énigme, car cela l'effrayait. Leur relation devait rester éphémère, d'ordre physique uniquement.

A quoi bon ruminer ? Elle avait ce qu'elle voulait, non ? Et cette fois, elle n'avait pas eu besoin de s'enivrer, ni de jouer les séductrices. Juste de se hisser sur la pointe des pieds. Comme ça…

Leurs bouches fusionnèrent de nouveau et un éclair de désir zébra son être. Elle le désirait plus que tout au monde — sa carrière, la considération de son frère, ce soir, tout cela n'avait plus d'importance. La violence de ses sentiments était dangereuse, elle le savait, mais là, maintenant, sous les étoiles, par cette nuit d'été extraordinaire, elle s'en fichait.

Devant la porte, l'air devenait plus épais, comme si leur désir était tangible. Max avait l'impression que l'âme de Lacey venait de se glisser sous sa peau, berçant ses sens, les excitant. La façon dont elle s'abandonnait dans ses bras reléguait tout à l'arrière-plan : sa promesse à Wade, sa fausse identité, sa mission secrète, son départ imminent...

Cette bouche qui s'unissait à la sienne avec tant de passion vint à bout de ses ultimes scrupules. Il voulait se perdre en elle, et manifestement elle voulait l'accueillir en elle. Poussant la porte de l'épaule, il l'entraîna à l'intérieur.

A peine furent-ils dans le vestibule qu'il fit glisser sa robe de satin noir à ses pieds. La même étoffe recouvrait encore ses seins. Il s'empressa de dégrafer son soutien-gorge, et ses seins jaillirent dans ses mains, semblables à deux fleurs voluptueuses. A son tour, elle déboutonna sa chemise et il sentit bientôt ses doigts palper avec passion sa chair brûlante. Son désir redoubla instantanément. Oh, oh, il devait garder son self-control s'il ne voulait pas atteindre l'orgasme avant le « mambo horizontal », pour reprendre l'expression de Lacey.

L'attirant plus étroitement à lui, il l'embrassa de nouveau, une main tâtant sa nuque, l'autre caressant ses seins tendres. Deux mois qu'il en rêvait et cet instant merveilleux arrivait enfin. Wade, le futur, ses promesses, quelle importance ? Il la désirait, advienne que pourra !

La lumière argentée de la lune baignait son corps d'un halo opalescent, ses seins étaient hauts et fermes, agités sous son souffle haletant. Ses yeux brillaient de désir et ses cheveux semblaient scintiller d'une lueur féerique.

146

« Ce regard m'est destiné », pensa-t-il alors. Et cette idée le remplit d'un sentiment primaire de possessivité. Il avait envie qu'elle lui appartienne.

— Lacey, tu es si belle. Je veux que tu sois mienne.

Elle lui sourit, comme intimidée par ses propos un rien solennels. Sa lèvre inférieure trembla un peu et ses joues se colorèrent légèrement. Elle était tout simplement divine, si pudique et passionnée à la fois. Un être précieux.

Brusquement, il vit enfin clair en lui. Il venait de comprendre pourquoi jusque-là il n'avait pas dormi avec elle. Ce n'était pas tant par égard pour Wade et sa supposée mission. Ni parce qu'il redoutait qu'elle prenne cette liaison plus au sérieux que lui. Non. C'était précisément l'inverse : une fois qu'il aurait fait l'amour avec Lacey, il craignait fort de ne pas se contenter d'une aventure et d'aspirer à une relation plus durable… Or, cette clause ne figurait pas au contrat.

Tant pis ! Il n'aurait qu'à s'en mordre les doigts plus tard. Mais, pour l'instant, il était si bon de la tenir contre sa poitrine, d'entendre son cœur battre, de sentir son souffle exquis sur sa peau. Oui, cette aventure-là en valait la peine, même si elle allait le faire souffrir. Et qui sait ? pensa-t-il subitement, étreint par un fol espoir. Peut-être Lacey fini-rait-elle par éprouver les mêmes sentiments que lui ?

— Tu m'excites infiniment, lui murmura-t-il à l'oreille. Allons dans ta chambre, ou je ne réponds plus de moi.

— A ce point ? fit-elle, mutine.

— Oh oui, et plus encore ! Si tu ne te rends pas compte de l'effet que tu me fais, il va falloir que je te le démontre et, à mon avis, la démonstration va prendre toute la nuit.

— Excellente idée, lui chuchota-t-elle à l'oreille.

Alors il la souleva de terre et la conduisit jusqu'à sa chambre.

Enlevée par son prince charmant, Lacey tentait de reprendre son souffle, sans cesser de se répéter que ce qui lui arrivait était merveilleux. Elle était sur le point de faire l'amour avec l'homme de ses rêves et — de coucher avec l'amant de ses fantasmes, se corrigea-t-elle sévèrement ! Bah, peu importe ! Ce qui comptait, c'était la nuit qu'ils avaient devant eux. Elle était folle de désir. Pour un peu, elle se serait pâmée, comme les princesses dans les contes de fées.

Pourquoi fallait-il qu'il fût cow-boy ? Un nomade qui errait d'un Etat à un autre, tantôt bûcheron, tantôt berger, ou elle ne savait quoi encore. Elle aurait tant aimé qu'il exerce une profession plus proche de la sienne ! Bien sûr, ces pensées étaient insensées, son métier de cow-boy, il l'avait dans la peau. C'était d'ailleurs un être indomptable.

Elle devait s'en tenir à la promesse qu'elle lui avait faite : accepter cette relation pour ce qu'elle était, à savoir une liaison éphémère. C'était déjà plus que ce qu'elle avait cru avoir. Tel Rhett Butler, alias Clark Gable, dans *Autant en emporte le vent*, il l'emportait dans ses bras. C'était romantique et érotique, à la fois. En un mot, parfait !

L'arrivée dans la chambre fut plus mouvementée que prévu. Max trébucha contre des chaussures, et ils tombèrent tous les deux sur le lit. Alors ils éclatèrent de rire. Et puis soudain, leurs regards se soudèrent et le désir chassa le rire. Max embrassa ses lèvres, caressa ses seins. Un feu liquide incendia le corps de Lacey. Elle devinait à quel point il la désirait et voulait sentir en elle la force de cette passion. Alors elle leva les yeux vers lui et il comprit l'invitation de son regard. Ses doigts se coulèrent dans son string. Elle devint électrique sous ses caresses, sous ses mains qui avançaient toujours plus loin. A son tour, elle défit fébrilement son ceinturon…

Il baisa sa bouche, son cou, ses seins… et s'égara bientôt au-dessous de son ventre. Elle se cambra, à la merci de ses exquises caresses. Elle était entre ses mains au sens littéral du terme. Et elle s'abandonnait au flot de sensations que libérait l'archet de ses doigts.

— Max, je ne peux plus… je vais…

— Attends-moi, lui dit-il d'une voix rauque.

Se débarrassant en un rien de temps de son jean, non sans avoir extrait de sa poche un préservatif, il fut sur elle, en elle… Enfin son rêve devenait réalité. Elle appartenait à Max. Max, qui faisait de gros efforts pour se contrôler encore un peu. Waouh ! Jamais elle n'aurait cru qu'elle pourrait l'exciter à ce point.

A présent, il chaloupait au-dessus de son corps, et elle ondulait au même rythme que lui, les jambes enroulées autour de ses hanches. Elle voulait qu'il se souvienne toujours de cette nuit, qu'il en redemande…

Soudain, une vague de plaisir souleva ses sens et elle hurla bientôt son nom en un spasme de plaisir. Puis ce fut à lui de venir la rejoindre dans l'océan de voluptés sur lequel venait de déboucher leur sublime corps à corps.

Ils restèrent un long moment sans parler, Max allongé sur elle, telle une merveilleuse couverture. Elle s'enivrait de son odeur, tandis qu'elle sentait son souffle chaud dans son cou. Leurs cœurs battaient encore comme des fous, leurs jambes étaient aussi emmêlées que leur âme. Etait-ce cela, le paradis ?

Ce fut alors qu'elle fit cette terrible constatation : avec Max, il ne s'agissait pas seulement de sexe. Peut-être auraient-ils pu s'en tenir à ce stade, s'ils avaient couché ensemble dès le premier soir. Mais, après ces deux mois passés côte à côte, elle sentait qu'un lien bien plus fort que le sexe les unissait l'un à l'autre.

Max l'avait aidée à réaliser ses rêves. Mieux, il en faisait partie. Elle voulait désormais qu'il fasse également partie de sa vie. Au-delà du désir physique, l'amour s'était imposé dans son cœur. Force était de reconnaître qu'elle était amoureuse de Max !

Au moment où elle s'apprêtait à lui révéler ses sentiments profonds, il lui lança un regard chargé de désir et demanda d'un ton langoureux :

— Alors, ça t'a plu ?

Elle hocha la tête. Parler d'amour aurait certainement tout gâché, mieux valait s'en abstenir.

— Et si nous recommencions, pour que tu en sois encore plus sûre ?

Le timbre de sa voix suffisait à l'exciter. Elle retrouva ses caresses avec un infini ravissement, se réfugiant dans la volupté pour oublier que son amour ne serait jamais payé de retour.

Quand il se réveilla, il lui fallut quelques secondes pour réaliser où il était — c'est-à-dire dans le lit de l'adorable Lacey. Sa tête était blottie contre son épaule, et son abondante chevelure éparpillée sur sa poitrine. Ils avaient fait l'amour jusqu'à l'aube et enfin, à bout de force, ils avaient fini par s'endormir.

Avec effroi, il constata qu'il avait les idées encore plus confuses que la veille, concernant Lacey. Confuses ? Pourquoi continuer à se mentir ? En réalité, une vérité s'imposait à son cœur, une réalité redoutable : il était tombé amoureux de Lacey. C'était bien sa veine, tout ce qu'il ne fallait pas faire !

Avec une infinie douceur, il écarta les boucles blondes de son front, pour contempler son visage. Ses cils formaient de ravissantes demi-lunes sur ses joues douces comme un abricot. Elle était si suave, si innocente. Un véritable ange.

Pourtant, quand elle faisait l'amour, elle se transformait en une splendide démone. Cette seule pensée lui fouetta le sang. Lacey était une maîtresse si passionnée... Une maîtresse dont il était amoureux ! Désormais, il voulait se réveiller à ses côtés chaque matin... Ce qui supposait qu'il devait lui révéler sa véritable identité. Hum, hum... Elle n'apprécierait certainement pas d'apprendre qu'il était un imposteur. Lui pardonnerait-elle ?

Il était impossible qu'à part une attirance physique, elle ne ressentît rien pour lui ! Les cris qu'elle avait poussés au plus profond de la nuit ne trompaient pas. On ne pouvait faire l'amour si intensément sans nourrir des sentiments pour son partenaire. Il devait maintenant prier pour que ceux-ci soient assez forts pour résister à la confession qu'il avait à lui faire. Ensuite, il tenterait de la convaincre de rester, au lieu de retourner à Phoenix. Pourquoi s'imposait-elle un tel chemin de croix ? Ne voyait-elle pas qu'ici, elle était réellement dans son élément ? De son côté, il pourrait soit travailler à Tucson, comme prévu initialement, soit se consacrer à une initiative plus personnelle ainsi qu'il en avait de plus en plus envie.

Oui, peut-être que les choses finiraient par s'arranger...

Et si ce n'était pas le cas ? pensa-t-il soudain, le cœur serré. Si Lacey le laissait tomber, tout comme Heather ? Finalement, après avoir obtenu ce qu'elle voulait de lui, elle jetterait peut-être son dévolu sur un autre Pierce, un nouveau jeune loup aux dents longues.

Non, Lacey n'appartenait pas à ce genre de femmes. Ce n'était pas une calculatrice, elle agissait suivant son cœur, vibrait à l'intuition. Et si elle l'aimait comme il l'aimait, ils trouveraient forcément un *modus vivendi*.

L'épreuve de vérité qui l'attendait le rendait si nerveux qu'il finit par se lever sans faire de bruit. Elle avait tellement besoin de sommeil. L'inauguration avait été éprouvante, quant à cette nuit... Se rhabillant en silence, il jeta un dernier coup d'œil amoureux à sa silhouette gentiment recroquevillée dans le lit, puis il sortit de la chambre.

10.

Dès qu'elle ouvrit l'œil, Lacey éprouva un sentiment de plénitude. Ces quelques heures de sommeil avaient été réparatrices après une formidable nuit d'amour. A propos, où était son amant ? La place à côté d'elle était vide… Il était vrai que le soleil était déjà haut dans le ciel et que les cow-boys vivaient au rythme de la nature. Mon Dieu, son rendez-vous avec Wade ! Elle regarda le réveil. Ouf, elle avait une demi-heure pour se préparer. Avisant alors un mot posé sur l'oreiller, elle s'en saisit.

« Je ne voulais pas te réveiller, je suis parti faire un tour, on se voit au café, à l'heure du déjeuner, et nous discuterons… de tout. »

En lisant ces lignes, un frisson de satisfaction la parcourut. Max voulait discuter ! Voilà qui ne ressemblait guère à une attitude de cow-boy. Et si finalement il acceptait de devenir sédentaire ? Oh, elle espérait qu'elle ne se faisait pas trop d'illusions. N'était-elle pas encore sous le sortilège de leur nuit d'amour ? Certes, il se pouvait que Max éprouve des sentiments pour elle. De là à ce qu'il remette toute sa vie en cause, c'était une autre affaire ! Et certainement des plus improbables. N'avait-il pas haussé les épaules quand elle lui avait suggéré de mettre à profit ses dons en maths ? Quant à elle, il était exclu qu'elle le suive dans ses multiples périples à travers les grands espaces des Etats-Unis. Encore que, là maintenant, s'il le lui avait demandé, elle serait immédiatement allée acheter une tente pour le suivre au bout du monde. Allons, elle n'était pas encore tout à fait revenue sur terre après cette nuit divine ! Bientôt, la situation lui apparaîtrait sous un jour plus réaliste. Mais, dans l'immédiat, elle devait impérativement se concentrer sur son petit déjeuner avec Wade.

Tandis que le jet de la douche réveillait son corps encore tout endormi, elle tentait de préparer sa discussion avec son frère. La barbe ! C'était toujours l'image de Max qui s'imposait à son esprit. Les souvenirs qu'ils avaient tissés en cette nuit mémorable. Elle sentait encore ses doigts de magicien sur ses seins, son ventre, ses cuisses... Sans oublier les divins massages d'orteils qu'il lui avait prodigués. Elle ignorait que cette partie de son anatomie pouvait se révéler érogène. Mais Max n'était-il pas un Enchanteur ?

Bon, elle devait s'en tenir à ses priorités. D'abord Wade, au petit déjeuner, puis Max, au déjeuner...

A 9 heures moins 5, elle était fin prête pour affronter son frère. Du seuil de son mobile-home, elle aperçut la Porsche rouge de Wade garée devant le café. A la lumière du jour, l'établissement paraissait toujours aussi pimpant. Non sans fierté, elle admira quelques instants son œuvre, puis aspira une grande bouffée d'air. Mmm, qu'il faisait bon vivre ! Décidément, elle adorait cet endroit. Hélas, elle ne devait pas trop s'y attacher car l'heure des séparations allait bientôt sonner.

Où était Wade ? Sandy, la serveuse, lui indiqua qu'il avait pris un café une demi-heure plus tôt et qu'il avait ensuite rejoint Jasper dans son atelier. Qu'à cela ne tienne, elle allait les retrouver elle aussi. Ainsi, elle pourrait directement lui exposer le nouveau projet concernant la galerie. Bon, elle ne devait pas oublier son rendez-vous de midi ! Du calme, elle avait encore toute la matinée devant elle pour parler business avec Wade et se blottir ensuite dans les bras de son cow-boy.

Soudain, en passant devant le mobile-home de Jasper, elle entendit la voix de Wade, sans le voir. Elle s'apprêtait à suivre la direction de cette voix, lorsqu'une autre s'éleva à son tour — un timbre familier qui fit battre son cœur plus fort. Wade et Max, ça alors ! Autant qu'elle sache, ils ne se connaissaient pas. Que faisaient-ils ensemble de si bon matin ? Bah, il se pouvait qu'ils se soient croisés par hasard et une parole en entraînant une autre… Elle pointa le nez à l'angle du mobile-home. Juchés tous les deux sur une clôture, ils paraissaient en grande discussion. Elle les voyait de dos à présent, mais eux ne s'étaient pas aperçus de sa présence.

Instinctivement, elle s'immobilisa et ouvrit grand les oreilles.

— Je t'assure, Max, disait Wade, ta présence ici m'a enlevé une sacrée épine du pied. Je savais que tu gardais un œil sur ma sœur et qu'elle ne pouvait pas faire n'importe quoi.

Son cœur se glaça.

« Je savais que tu gardais un œil sur ma sœur. »

Cette phrase résonna, s'amplifia dans sa tête… jusqu'à ce que sa signification s'impose à son esprit comme un coup de tonnerre vous foudroie : Wade connaissait Max ! Il l'avait chargé de la surveiller. C'était affreux. Elle voulut partir en courant, mais se ravisa. Elle devait boire la coupe jusqu'à la lie et entendre la fin de cette horrible histoire.

— L'inauguration a dû vous coûter cher !

— Bah, nous pouvions nous le permettre. Et puis Lacey voulait tellement t'impressionner.

— Je sais, fit Wade en soupirant avec indulgence. Bon, je vais enfin pouvoir la ramener dans nos bureaux de Phoenix, maintenant que cette obsession de faire ses preuves ne la tourmentera plus. Et j'espère aussi qu'elle va se réconcilier avec Pierce.

Passé le choc, une terrible colère étreignit Lacey. Ils parlaient d'elle comme d'une enfant à qui l'on a passé ses caprices !

— Et tout ça, grâce à toi, mon vieux, merci beaucoup, ajouta Wade en tapotant amicalement l'épaule de Max.

— Ne me remercie pas, je…

— *Non, ne le remercie surtout pas !* fit soudain Lacey d'une voix presque stridente, en se rapprochant d'eux.

Ils tournèrent la tête en même temps et s'écrièrent d'une seule voix :

— Lacey !

Max bondit sur ses pieds.

— Désolée d'avoir écouté votre petite conversation, mais comme vous parliez de moi, je me suis sentie un peu obligée de le faire ! dit-elle d'un ton amer.

— Lacey, je vais tout t'expliquer, commença Max.

— Non ! trancha-t-elle. Ne prends pas cette peine. Je pense avoir tout compris. Wade a loué tes services pour surveiller son écervelée de sœur et éviter qu'elle aille au-devant des ennuis. C'est bon, pas besoin d'explication.

— Ce n'est pas du tout ça, se défendit Wade, je n'ai pas loué ses services, je lui ai juste demandé une faveur.

— Une faveur ? Eh bien, je suis ravie que cela ne t'ait pas coûté un sou ! Tu as une si mauvaise opinion de moi que tu me croyais incapable de prendre les choses en main.

Sa voix tremblait, sa gorge était nouée. Elle ravala rageusement ses larmes pour ne pas s'effondrer devant eux. Se tournant vers Max, elle poursuivit :

— Tu connaissais pourtant l'enjeu de ce projet, mais tu m'as laissé croire que je le maîtrisais.

Elle s'interrompit brusquement pour ne pas éclater en sanglots. Reprendre son souffle, se calmer, surtout ne pas craquer !

— Max n'est en rien responsable, c'était mon idée, plaida Wade. Et puis, sache que c'est lui qui m'a convaincu de te laisser rénover cet endroit. Sans son intervention, je t'aurais demandé de tout stopper dès la première semaine.

— Quoi ?

— Oui, ton idée me semblait des plus baroques, mais Max m'a assuré que le concept était bon et le dossier solide, alors j'ai donné mon feu vert.

— C'est donc à Max que tu as fait confiance, pas à moi ! s'écria-t-elle, les yeux brillant de larmes.

— Bien sûr que je lui ai fait confiance, Max est chef comptable de notre société, à Tucson.

— Tu es comptable ? ! fit-elle en regardant Max d'un air ahuri. Mais bien sûr, tout s'explique. « *Oh, je suis juste bon en maths.* » Mais quelle idiote j'ai été !

— Je ne suis plus comptable, protesta Max.

— C'est vrai, tu es un cow-boy... Un cow-boy qui tombe de cheval ! Comment ai-je pu te croire ? Je...

De nouveau, elle se tut et se mordit la lèvre pour ne pas pleurer.

— Lacey, fit Max, je t'en prie...

— Max a juste veillé sur toi, repartit Wade.

Lui faisant brusquement face, Lacey s'écria :

— C'était son projet, n'est-ce pas ? Et moi, j'étais juste l'idiote de service qui croyait qu'elle en était responsable.

La douleur s'était substituée au choc et à la colère. Elle détourna la tête, incapable de retenir ses larmes plus longtemps.

— Arrête de dramatiser, fit Wade. Ce n'est pas si grave que ça.

— Si ça l'est, il ne pouvait pas m'arriver pire. Vous vous êtes joués de moi.

Là-dessus, elle s'élança vers son mobile-home. Max fonça derrière elle et la rattrapa au moment où elle atteignait la porte.

— Lacey, laisse-moi tout t'expliquer, dit-il en se saisissant de son bras.

D'une vive secousse, elle se dégagea, entra dans le mobile-home et voulut refermer la porte. Il l'en empêcha, plaçant un pied dans l'entrebâillement de la porte et s'introduisant de force à l'intérieur.

— Je veux te dire ce qui s'est vraiment passé, annonça-t-il.

— Va-t'en, je ne te crois plus, dit-elle en s'écartant le plus loin possible de lui. Tu m'as menti dès l'instant où nous nous sommes rencontrés.

A présent, de grosses larmes inondaient ses joues. Il se rapprocha d'elle de quelques pas. Elle se raidit et ses yeux verts lancèrent des éclairs. La fureur rendait fort, se rappela-t-elle, et la douleur faible. Elle ne pouvait s'offrir le luxe de céder à cette dernière.

— Je ne partirai pas d'ici tant que tu ne m'auras pas écouté, insista-t-il.

— Si je dois en passer par là pour me débarrasser de toi, soit, parle. Mais fais vite.

Max se lança alors dans des explications compliquées. Son débit était rapide, il remuait nerveusement les mains. Il mentionna son amitié pour Wade depuis la fac, le poste de chef comptable que ce dernier lui avait procuré, sa démission de la Wellington, le job que Wade, encore lui, lui avait offert sur le ranch et le service qu'en échange il devait lui rendre.

— Lorsque j'ai vu combien ton idée était bonne, j'ai proposé à Wade de t'aider.

— Je n'avais pas besoin qu'on me fasse de faveurs.

— Si, Lacey, ton budget était trop serré, et Wade a réinjecté des fonds.

Alors là, c'était la meilleure !

— Pardon ? s'exclama-t-elle d'une voix blanche. Je n'ai même pas financé moi-même ce projet ?

Sa colère revenait au galop.

— Pas tout à fait, mais quelle importance ? Ce projet reste le tien.

— Sur le papier seulement.

— Lacey, je n'ai rien fait d'autre que t'aider, lui assura Max en saisissant subitement son bras. Et tout a réussi. Le café est un véritable succès. Tu as eu ce que tu voulais.

— Lâche-moi !

Du revers de sa manche, elle essuya une larme.

— Ecoute, nous avons un autre sujet à aborder, déclara-t-il d'un ton brusquement assuré. Un sujet bien plus important.

Que tentait-il de faire avec ses grands yeux noirs ? De l'hypnotiser ? Décidément, il ne doutait de rien ! Il était si imbu de sa petite personne.

— Je ne vois pas ce qu'il peut y avoir de plus important. Ce projet, c'était mon rêve.

— Si, Lacey, il y a plus important, je t'assure...

Reprenant alors son souffle, il déclara d'une traite :

— Lacey, je t'aime.

— Pardon ? !

— Je t'aime. Et j'espère que tu partages mes sentiments. Je veux que nous restions ensemble.

Il l'aimait ? Cette phrase qu'elle mourait d'entendre, pourquoi venait-elle trop tard ? Quand toutes ses illusions s'écroulaient à ses pieds comme un château de sable ? Elle était glacée.

— Je suis désolé de t'avoir menti. Mais j'essayais juste de te protéger, continua-t-il tout en la suppliant du regard de la pardonner.

Soudain, il l'agrippa par les épaules et l'attira à lui. Mais... Il ne comptait tout de même pas l'embrasser ! Croyait-il vraiment qu'un baiser allait tout résoudre ? Elle se raidit, puis le repoussa rapidement, craignant qu'un baiser, justement, ne lui fasse oublier la cruelle vérité.

—Ce n'est pas si terrible que ça, tout de même ! déclarat-il. Tu as réussi, n'est-ce pas l'essentiel ? Tu as rénové le café et impressionné ton frère.

— Non, toi, tu l'as impressionné, pas moi. C'est à toi qu'il a fait confiance, et moi j'étais juste la gentille assistante.

— Je t'accorde que Wade a tendance à être ultra protecteur, mais comme tous les frères, non ?

— Peut-être, mais toi, tu as marché dans son jeu. Or, tu n'es pas mon frère. Si tu m'aimais, tu aurais dû me dire la vérité, quitte à ce que je me casse la figure. Au moins, ç'aurait été mon propre échec. Maintenant, je suis revenue au point de départ avec Wade. Je n'ai rien prouvé du tout.

— Mais on se fiche de ce que pense Wade, à la fin ! Songe un peu à toi, zut ! Tu as accompli un travail remarquable, dont tu peux être fière ! Pourquoi veux-tu absolument un poste dans le conseil d'administration ? Au fond de toi, je suis sûr que tu ne le souhaites même pas. Reste ici et gère le café, tu seras bien plus heureuse, ce job te correspond davantage.

— Ne me dis pas ce que j'ai à faire, O.K ? Que connais-tu de mes besoins, hein ? s'écria-t-elle, furibonde.

C'était sidérant ! Le même ton, la même attitude que Wade. Pourquoi pensaient-ils tous agir pour son bien et la traitaient-ils comme une irresponsable ? Sa frustration était à son comble. Serrant les dents, elle lui jeta à la figure :

— Je te préférais de loin en cow-boy. Même un cow-boy malhabile est préférable à un comptable menteur et arrogant.

— Lacey, quoi que tu me dises, je t'aime et je veux rester avec toi, reprit-il d'un ton presque impatient.

— Comment peux-tu m'aimer ? Tu ne connais rien de moi. Et moi, j'ignore tout de toi, Max McLane. D'ailleurs, est-ce seulement ton nom ?

— Bien sûr que c'est mon nom ! Ecoute, si tu voulais bien arrêter de monter sur tes grands chevaux et être un peu raisonnable, tout rentrerait dans l'ordre. Nous formions une équipe, O.K. ? Certes, quelques détails t'ont échappé, mais je t'ai simplement *aidée* à réussir. Je l'ai fait pour toi, car tu comptes pour moi.

— Non, c'est pour mon frère que tu l'as fait.

— C'est faux et tu le sais parfaitement. Oublie ce que pense Wade, nom d'un chien, oublie la Wellington, reste ici, et soyons heureux.

— Tu peux démissionner et t'en aller, mais ne compte pas m'entraîner avec toi. Si le monde de l'entreprise est trop dur pour toi, je suis pour ma part en mesure de l'affronter.

— Je démissionne parce que j'en ai assez de la vie de bureau, c'est par choix et non par renoncement, dit-il en élevant la voix.

— Max, je ne sais plus quoi penser de toi, décréta-t-elle froidement. J'ai l'impression qu'il me faudrait un détecteur de mensonges pour m'y retrouver.

Elle était consciente d'avoir franchi certaines limites, mais c'était plus fort qu'elle. Son rêve s'écroulait à ses pieds et de surcroît, il lui affirmait qu'elle s'était trompée sur ses propres envies. Pour qui se prenait-il, à la fin ?

— Je te dis la vérité, lui dit-il durement.

Assez, assez ! Il était temps de mettre un terme à toute cette comédie. Elle était tombée amoureuse d'un homme qui ne respectait ni ses rêves ni sa personnalité. Et qui, comme si cela ne suffisait pas, la traitait comme une enfant, à l'instar de Wade.

— Et moi, je ne te crois pas, et ne te croirai jamais.

— De quoi as-tu peur ? lui demanda-t-il tout à trac.

— De rien, fit-elle d'un air crâne. Seulement, je ne veux plus entendre tes mensonges. Tu ne m'aimes pas, Max, tu te sens coupable de m'avoir menti, c'est tout.

— La vérité, Lacey, c'est que tu n'as pas envie de me croire. Car cela impliquerait de réfléchir à un avenir commun avec moi. Et ça, tu t'y refuses. Parce que tu t'accroches à ce poste à responsabilité à la Wellington et que moi je refuse de me laisser enfermer dans des raisonnements étroits, dignes de Pierce Winslow.

— Pierce, au moins, ne prétend pas être ce qu'il n'est pas.

Il lui décocha un long regard, avant de déclarer lentement, en martelant bien chaque mot :

— Que tu veuilles l'entendre ou non, je t'aime. Je suis désolé que cela t'effraie. Je suis peut-être à un tournant dans ma vie, mais je sais ce que je veux. Ce qui n'est pas ton cas, Lacey. Et je ne peux pas t'aider à y voir plus clair.

— Tant mieux, car la dernière chose que je veuille de toi, c'est bien de l'aide. Toi et ta prétendue aide vous pouvez aller au diable.

— Est-ce réellement ce que tu penses, Lacey ?

Son ton était sérieux et grave. La réponse qu'il attendait d'elle serait déterminante. Il n'y aurait pas de retour en arrière possible.

— De tout mon cœur, fit-elle avec rage.

Pour sa part, c'était la première fois qu'elle lui mentait.

11.

Trois semaines plus tard, du bout de son stylo, Lacey tapotait nerveusement la table en marbre de la salle de conférences, tout en tâchant de se concentrer sur le financement du nouveau projet de la Wellington. L'équipe de gestion était au grand complet et la discussion acharnée. Du moins, autant qu'elle pouvait en juger, étant pour sa part retranchée dans ses propres pensées. Nombre de questions la préoccupaient ! Ramòn avait-il finalement réparé la fuite du distributeur de soda ? Monthy avait-il mué ? Et comment allait Max ces derniers temps… ?

Assez ! Elle devait cesser de rêvasser et revenir au présent. Mais pourquoi le présent était-il si gris et si morne ?

De la table en marbre aux costumes des cinq hommes qui participaient à la réunion, en passant par le ciel qui surplombait la Central Avenue, tout était gris de gris !

Allons, de quoi se plaignait-elle, au juste ? N'avait-elle pas obtenu ce qu'elle souhaitait ? Une fois passé le choc lié à la découverte de la conspiration dont elle avait été victime, elle avait fini par présenter son projet sous PowerPoint à Wade. Ce dernier s'était montré impressionné par la qualité de son travail et lui avait proposé sur-le-champ de prendre en charge l'équipe de management au sein de la Wellington. Oh, elle n'était pas dupe : nul doute que cette impulsion s'expliquait par le terrible sentiment de culpabilité qu'il ressentait à son égard. Et cela lui déplaisait fortement. Elle se sentait parfaitement flouée.

Certes, elle avait obtenu ce qu'elle voulait, mais pas de la façon dont elle le prévoyait. C'était plus une victoire intellectuelle que morale. Elle ne ressentait aucune joie réelle et tangible. Tout demeurait abstrait. Elle tentait de se convaincre qu'elle traversait juste une période de transition, qu'elle avait besoin d'un peu de temps pour s'adapter. A moins que ce ne fût le succès qu'il l'effrayât…

— Lacey, es-tu avec nous ? lui demanda Wade, à l'autre extrémité de la table.

— Oui, euh, bien sûr.

— En te référant à ta propre expérience de rénovation, penses-tu que, pour ce projet, dix pour cent soit réaliste ?

Dix pour cent… Hum, hum. *Dix pour cent de quoi ? !* Elle se creusa les méninges pour se rappeler de quoi ils étaient en train de discuter.

— Euh… Dix pour cent me semble une bonne estimation. Oui, dix pour cent, parfait, dit-elle à tout hasard.

Wade la regarda d'un air sceptique puis déclara :

— Ecoute, étudie le dossier et remets-moi ton analyse vendredi, d'accord ?

— Sans problème, répondit-elle en jetant un regard coupable à la ronde.

Mais personne ne lui adressa de coups d'œil dédaigneux. Personne dans cette assemblée de cols blancs ne la traitait comme le maillon faible de la chaîne de gestion. D'ailleurs, il arrivait fréquemment que Wade cite le *Salon des merveilles* en exemple, soulignant l'esprit d'initiative et la perspicacité de Lacey. Il allait même jusqu'à inciter ses collaborateurs à faire preuve de la même intuition commerciale. Il ne donnait nullement l'impression de lui avoir fait un cadeau en la nommant à ce poste clé et il attendait en retour qu'elle s'investisse de tout son cœur dans ce job. Mon Dieu, pourquoi éprouvait-elle de si grandes difficultés à se sentir concernée ? Tout bêtement parce qu'elle ne parvenait pas à chasser Max de ses pensées.

Et Wade était doublement coupable ! Non seulement il ne lui avait pas fait confiance, mais qui plus est, s'il n'avait pas fait appel au concours de Max, jamais elle ne serait tombée amoureuse de ce dernier et n'aurait eu le cœur brisé. Elle aurait été comblée de se retrouver au sommet de la hiérarchie, d'élaborer des projets, d'en évaluer la viabilité et de les gérer. Certes… Néanmoins, sans Max, le *Salon des merveilles* n'aurait pas connu un tel succès. Et c'était précisément ce qui la chagrinait le plus. Dans toute cette histoire, Wade s'en était remis à Max — pas à elle. En dépit de tous les efforts qu'elle avait fournis, elle s'était encore une fois retrouvée infantilisée.

De l'autre côté de la table, Pierce lui adressa un sourire sympathique. Ces dernières semaines, ils avaient fait la paix et étaient devenus de bons amis. Depuis une semaine, il sortait d'ailleurs avec Katherine, la personne que Wade avait embauchée au service marketing, pour le poste qu'il réservait initialement à sa sœur. Ils formaient un couple très assorti, et Lacey se réjouissait sincèrement pour lui.

Dernièrement, tous deux étaient allés chez *Alberto* pour déguster un chocolat chaud en souvenir du bon vieux temps. Pierce admit alors sans rancune que Lacey avait raison lorsqu'elle invoquait autrefois l'inertie de leur relation. Elle lui avoua à son tour qu'elle était heureuse qu'il ait trouvé l'âme sœur en Katherine, et il lui exprima sa sympathie concernant sa rupture avec Max. Ne voulait-elle pas qu'il intervienne auprès de ce dernier ? avait-il gentiment offert. Touchée par sa proposition, elle l'avait toutefois vivement déclinée.

Et n'avait pu retenir un tendre sourire, en repensant à leur rencontre explosive, au *Salon des merveilles*.

Pierce était un ami sur qui elle pouvait désormais compter et cela lui faisait chaud au cœur. Elle lui rendit son sourire. Ils avaient réussi à rompre en douceur, à défaut d'avoir pu construire un avenir ensemble.

Une fois la réunion terminée, elle regagna son immense bureau aux meubles d'un lustre miroitant, avec vue panoramique sur la ville.

Hélas, tout ce luxe ne compensait pas le *Salon des merveilles*. Jasper, Ramòn et même Monty Python lui manquaient terriblement. L'horloge de son ordinateur affichait 9 h 30. Et si elle appelait maintenant, pour savoir si la fuite avait été réparée ? A cette heure-ci, Stuart Paulsen devait être arrivé. A la demande de Wade, ce dernier assurait l'intérim. Comme elle n'avait trouvé personne combinant les trois qualités indispensables pour le poste qu'elle laissait vacant, à savoir un esprit d'initiative développé, un haut degré d'implication et le bon feeling avec le personnel, Wade avait nommé d'office le responsable de *Quixote Con Queso*, un autre restaurant de la Wellington. Il devait rester en poste quelques semaines, le temps nécessaire à Lacey pour recruter la personne idoine.

— Bonjour, Stu, lui dit-elle lorsqu'il décrocha à l'autre bout du fil.

— Lacey ! Bonjour, qu'y a-t-il ?

A son ton, elle devina qu'il n'appréciait pas qu'elle appelle de si bon matin. Il devait se sentir surveillé. Peut-être pas tout à fait à tort, d'ailleurs…

— Oh, fit-elle d'un ton jovial pour compenser le malaise sous-jacent, j'appelais juste pour savoir si la fuite était réparée ou si tu voulais le numéro de téléphone d'un réparateur.

— La machine à soda est réparée, Lacey, pas de problème. Je t'ai déjà dit que tu as fait un travail remarquable en aval. Alors pour te rassurer une fois pour toutes, sache que le café fonctionne à merveille, qu'il fait beau et que je vais bien, merci.

— Parfait, parfait…

Pas la peine de s'énerver ! Et de lui répéter sur ce ton agacé ce que tout le monde ne cessait de lui dire : qu'elle avait réellement fait du bon travail et que le *Salon des merveilles* était une affaire qui roulait toute seule. Certes, c'était une compensation… Hélas, ça ne résolvait pas tout.

— Bon, reprit Stuart en soupirant, tu veux parler à Ramòn, je suppose ?

— Oui, si je ne le dérange pas.

— Ne quitte pas, je te le passe.

O.K., elle allait cesser d'appeler aussi souvent, elle voyait bien que Stuart n'appréciait guère. Cela dit, c'était plus fort qu'elle ! Son cœur battit plus fort lorsque la voix familière de Ramòn résonna à l'autre bout du fil :

— *Bueno*, Lacey, comment va ?

— Bien merci, mentit-elle. Et toi ? Tout se passe bien ?

— Oui, oui, ça va, rien de bien nouveau depuis hier, répondit-il avant d'enchaîner : Il est venu prendre un café à 8 heures, il n'a rien mangé. Ensuite il a aidé Jasper à faire ses comptes. Ah, si ! J'allais oublier. Il a une nouvelle paire de boots. C'est le pote de Buck qui les lui a fabriquées, tu sais, celui qu'il a aidé à monter son affaire de cuir. Elles ne sont pas mal du tout.

— Ah bon ? Il a de nouvelles boots ?

Oh, elle savait qu'il était puéril d'extorquer ce genre de détails à Ramòn au sujet de Max. C'était un comportement digne d'une adolescente.

— Dis-moi, avait-il l'air en forme ? reprit-elle. Enfin, je veux dire, est-ce qu'il est...

— Est-ce qu'il est guéri de toi, c'est ça la question ? Eh bien, la réponse est non. *Chica*, il souffre terriblement à cause de toi. Il est d'une humeur de chien et il a même maigri. Jamais tu n'aurais dû le laisser tomber.

— Peut-être...

Elle n'aurait su dire pourquoi cet échange rituel lui mettait un tel baume au cœur. D'ailleurs, qui lui prouvait que Max était de mauvaise humeur à cause d'elle ? Elle savait pertinemment que Ramòn lui disait ce qu'elle voulait entendre et qu'il cherchait à la rassurer.

La vérité, c'était qu'elle aimait encore Max. Et cet amour avait grandi depuis leur rupture, enflé au point qu'elle avait l'impression parfois de ne plus pouvoir respirer, comme s'il l'étouffait.

Elle essayait de se convaincre qu'elle était tombée amoureuse d'un cow-boy sorti directement de ses fantasmes et que le comptable, que s'était avéré être Max McLane, n'avait plus aucun attrait à ses yeux. Hélas, cela ne fonctionnait pas. Même s'il lui avait menti et avait saccagé ses rêves, elle l'aimait, envers et contre tout. Oui, même si son comportement avait été odieux, elle l'aimait avec la force du désespoir.

Et si Max, depuis son départ, était réellement malheureux, ainsi que l'affirmait Ramòn, eh bien tant mieux ! Au moins, elle n'était pas la seule à souffrir.

— *Chica*, déclara Ramòn, je dois te laisser, j'ai du pain sur la planche. Mais dis-moi, pourquoi ne viens-tu pas nous rendre visite ? Tout le monde serait content de te voir. Depuis ton départ, nous nous sentons orphelins.

— Tu exagères, je ne suis pas indispensable.

— C'est là où tu te trompes.

Et si Ramòn avait raison ? Ce café, c'était son bébé, son projet… Attention, pas de sentimentalisme ! se rappela-t-elle *in petto* en sentant sa colère revenir au grand galop. C'était aussi la gestion de Max et le coup de pouce financier de Wade !

— A bientôt, Ramòn, se contenta-t-elle de dire avant de raccrocher.

Frustrée, Lacey se remit au travail. Pourquoi l'analyse que Wade lui avait demandé de faire l'enthousiasmait-elle si peu ? Normalement, elle adorait ce type de travail ! Son regard s'attarda sur le cadre qu'elle avait placé sur son bureau. L'après-midi de l'inauguration, Max avait pris une photo du trio infernal comme il les appelait affectueusement, elle, Ramòn et Jasper. La scie circulaire à la main, Lacey riait de bon cœur. Elle était si heureuse, alors. Comme si elle pressentait la formidable nuit d'amour qu'elle allait connaître dans quelques heures avec Max. Elle débordait d'espoir et de passion. Pourquoi avait-il fallu que tout cela ne fût qu'un rêve ?

Il était urgent pour sa santé morale qu'elle passe à autre chose. Il fallait qu'elle s'investisse pleinement dans sa nouvelle vie. Qu'elle regarde vers le futur, au lieu de se tordre le cou pour apercevoir un passé qu'elle ne pouvait pas ressusciter. Que diable ! N'avait-elle pas choisi de son propre gré de travailler ici, à la Wellington ? Ouvrant brusquement le tiroir de son bureau, elle y fourra la photo, pour ne plus la voir.

— Tu viens demain soir, n'est-ce pas ?

Wade venait de passer le nez par l'entrebâillement de sa porte. Sans prendre la peine de frapper, bien sûr ! Et il posait sa question sans préliminaire. Rien de bien étonnant là non plus.

— Je viens où ? fit-elle, sachant parfaitement de quoi il était question.

170

— A l'inauguration de la galerie de Jasper, pardi !

— Ecoute, Wade, je ne sais pas encore. Je suis très occupée.

Elle ne mentait pas, elle travaillait sur un nouveau projet et étudiait la viabilité de la transformation d'une épicerie fine en un salon de thé, au centre-ville. Il n'empêche qu'elle prenait son travail comme prétexte. En réalité, elle avait peur de revoir Max.

— Lacey, fit Wade, sourcils froncés, en s'asseyant négligemment sur le coin de son bureau. C'est l'inauguration de la galerie de Jasper. Tu ne peux pas manquer cet événement. Tu te dois même d'y assister.

— Je ne vois vraiment pas en quoi ma présence est indispensable.

— Arrête un peu, Lacey, de toujours sous-entendre la même chose ! C'est fatigant, à la longue, et tellement injustifié. Le *Salon des merveilles*, c'est ta création à toi. Et puis, quel est ce dossier qui t'occupe tant ?

— Je suis en train de négocier l'acquisition de mobilier pour le salon de thé en centre-ville.

— Bah, c'est une chose que tu peux faire les yeux fermés.

Peut-être. Mais elle ne voulait pas brûler les étapes, elle voulait se concentrer sur ce dossier pour oublier à quel point Max et le *Salon des merveilles* lui manquaient.

— Au fait, bravo pour la négociation du bail. Je n'aurais pas fait mieux.

Elle leva les yeux vers son frère. Etait-ce encore un compliment qu'il lui adressait pour se racheter ? Bah, elle était trop lasse pour trouver une réponse. Et puis son propre manque d'enthousiasme la tracassait. Pourquoi n'était-elle pas heureuse ? Wade lui parlait d'égal à égale, elle avait enfin intégré le conseil d'administration. Elle avait gagné sur toute la ligne, tout de même !

— Au fait, as-tu trouvé qui était l'espion que j'avais engagé ? demanda subitement Wade.

— Très drôle !

Lacey l'avait en un premier temps soupçonné d'avoir chargé quelqu'un de la surveiller secrètement sur le projet de l'épicerie fine. Il lui avait en effet accordé toute liberté, elle disposait du budget qu'elle voulait, sans avoir à fournir d'autres rapports que les rapports normaux.

— Finalement, je devrais me réjouir de ta suspicion. Si tu connaissais ta véritable valeur, tu me demanderais une sérieuse augmentation.

Pourquoi s'entêtait-il à la flatter ? Ne parvenait-il donc pas à surmonter son sentiment de culpabilité ?

— Excuse-moi, Wade, mais je dois terminer ce que je suis en train de faire.

Elle replongea ses yeux dans son dossier. Wade était toujours là, à l'observer. Eh bien, qu'il reste là à l'admirer si cela l'amusait ! Finalement, elle l'entendit soupirer et se diriger vers la porte. Parfait ! Il renonçait à la persuader de se rendre à l'inauguration. Tant mieux, car elle était incapable de faire face à Max en ce moment. Elle rendrait visite à Jasper plus tard.

Quand elle leva les yeux pour lui dire au revoir, elle le trouva de nouveau en train de la fixer !

— Lacey, va à l'inauguration, je t'en prie. Jasper a besoin de toi. Et pas que lui, d'ailleurs.

— Franchement, Wade, je ne sais pas. La situation est compliquée et…

— O.K., je n'ai pas le droit de m'immiscer dans ta vie comme tu me l'as toujours dit, mais ta présence est nécessaire, tu te le dois à toi.

172

— C'est trop dur…

— Parfois, il faut se faire violence et foncer, lui dit-il gentiment avant d'ajouter sur le ton abrupt qui le caractérisait : En outre, il faut que tu rebriefes Stu. Je crois qu'il a un peu de mal avec le personnel, il n'est pas aussi diplomate que toi. Notamment avec le chef.

— C'est bon, je vais y réfléchir, répondit-elle, le cœur battant après ce qu'il venait de lui apprendre.

Et si son frère avait raison, pour une fois ?

12.

Ce fut l'estomac noué que Lacey fit le trajet jusqu'à la galerie. Elle avait fini par suivre les conseils de Wade. A quoi bon fuir la réalité ? Elle vous rattrapait toujours. Aussi était-il préférable de lui faire face — ce qui, en l'occurrence, signifiait affronter Max. En outre, elle se devait d'être aux côtés de Jasper en ce grand jour. Sans compter qu'elle avait hâte de découvrir la galerie et de revoir le *Salon des merveilles* ! Néanmoins, l'idée de rencontrer Max la rendait nerveuse. Même si, au fond d'elle-même, elle en mourait d'envie.

Elle ne doutait pas qu'il serait là ce soir. Il avait pris en charge la gestion des frais liés à l'ouverture de la galerie. Car, s'il était un pâle cow-boy, il était en revanche un remarquable comptable. D'après ce que Jasper lui avait raconté, il avait désormais plusieurs clients à son actif. Il s'était apparemment lancé dans une activité de consulting. Tant mieux, pensa-t-elle. Ses projets dans le bâtiment lui avaient toujours paru chimériques.

Elle avait fait en sorte d'arriver une demi-heure après le début des réjouissances. Le parking du *Salon des merveilles* était plein à craquer. Des groupes de gens se tenaient devant la galerie, un verre à la main. Décidément, l'endroit faisait un tabac. Le bar aussi était bondé. Son cœur s'emplit de fierté. N'était-ce pas elle qui avait contribué à ce succès ?

Le préfabriqué de chez *Quonset*, aujourd'hui une galerie en passe de devenir la plus courue de la région, ressemblait à une immense sculpture. Il avait été repeint de la couleur du ciel, et était constellé de nuages blancs. En outre, il était orné de différentes sculptures de Jasper. Cette énorme bulle qui se détachait sur le ciel rouge violet du couchant prenait un aspect étrangement féerique.

Une légère brise soulevait les cheveux de Lacey, tandis que les battements de son cœur s'accéléraient. Elle avait subitement la sensation de respirer de nouveau un air pur et vivifiant. Comme si elle revenait à la surface de la terre après une longue station dans une cave. Bref, elle avait l'impression de rentrer à la maison.

Oui, c'était exactement le sentiment qui la submergea à l'instant où elle sortit de sa voiture. Celui d'être de nouveau chez elle. Elle aurait aimé prendre l'endroit dans ses bras, le mettre dans un grand sac et l'emmener avec elle. Et si Max, finalement, avait raison ? Si sa place était ici ? Elle y avait été heureuse — sincèrement heureuse. A aucun moment, à Phoenix, elle n'avait connu la douce sensation de griserie qu'elle avait éprouvée ici, même en traitant les dossiers les plus stimulants. Soudain, tout sembla vaciller devant elle… Ce fut alors qu'elle se rendit compte que ses yeux étaient brouillés de larmes.

Allons, un peu de cran, que diable ! Elle avait pris une décision et devait s'y tenir. Ravalant son émotion, elle se dirigea vers l'atelier, désireuse de féliciter Jasper. Soudain, elle reprit son souffle, oppressée. Ne pas oublier qu'elle allait également voir Max. Qu'allait-elle lui dire, au juste ? Bah, elle improviserait. Il était de toute façon trop tard pour réfléchir.

La foule était composée de jeunes gens branchés, vêtus des dernières créations des designers les plus en vue et de vieux

175

babas cool aux frusques bien moins chic. Sans compter les personnes qui n'affichaient aucune appartenance particulière. L'éclectisme des invités rendait la soirée fort sympathique. Chacun tenait une flûte de champagne à la main et l'endroit bruissait des joyeuses conversations. En sourdine, Manny Romero et ses musiciens égrenaient sur leurs accordéons des airs de tango râpeux qui apportaient une note exotique et mystérieuse.

La galerie était réellement superbe. De larges spots accrochés au plafond lui conféraient une belle luminosité. L'espace atelier était séparé du reste par une paroi en briques de verre. Parmi les sculptures exposées, Lacey reconnut d'anciennes pièces que Jasper avait remaniées. Notamment le totem, qui avait été réduit en hauteur et savamment poli. L'art était partout, même au-dessus des têtes : une énorme boîte de lait avec des oreilles et une mamelle se balançait doucement dans les airs, retenue par des fils transparents. Une enseigne de coiffeur avait été transformée en une fusée aux couleurs rutilantes.

Elle finit par repérer Jasper. Il portait une salopette en jean et avait noué un bandana autour de son front. Il s'était fait une queue-de-cheval et paraissait rajeuni de quinze ans. Finis les rhumatismes, il irradiait littéralement. Dès qu'il la vit, il s'élança vers elle en criant son nom avec joie.

— Oncle Jasper, s'exclama-t-elle à son tour en se jetant dans ses bras.

— Tu ne peux pas savoir à quel point je suis heureux que tu sois là ce soir !

— Moi aussi, je suis très heureuse. C'est vraiment génial, ici. Alors, comment se présente cette soirée ?

— Plutôt bien, j'ai déjà vendu trois pièces. Et comme je ne voulais pas me défaire de ma tour Eiffel, l'architecte qu'elle intéressait m'en a commandé une autre. En outre,

176

il voudrait que nous collaborions sur un de ses projets. Incroyable, non ?

— Je suis réellement ravie pour toi.

— On dirait que mon art va enfin rapporter.

— Rien d'étonnant, tu es un formidable artiste. Il est normal que tes œuvres se vendent.

— Tout me semble si irréel. Bref...

Il s'interrompit un instant, pensif, avant de reprendre :

— Dis-moi plutôt, est-ce que tu l'as vue ?

— Si j'ai vu quoi ?

— Viens, se contenta-t-il de répondre.

Et il l'entraîna vers le vestibule, où trônait une impressionnante sculpture qu'elle n'avait pas remarquée en entrant. Elle était dotée d'ailes en cuivre qui, telles de longues langues de feu, se déployaient à partir d'un tronc en acier trempé. Des petits spots suspendus juste au-dessus créaient des flaques de lumières tout autour d'elle, la nimbant d'un halo mystérieux. La sculpture s'appelait *Le Phœnix de Lacey*. Elle portait aussi la dédicace suivante : « Pour Lacey Wellington, qui m'a permis de réaliser mes rêves. »

— Jasper, murmura-t-elle, les yeux mouillés. C'est superbe. Je... n'arrive pas à croire que tu aies fait cela... Je veux dire, tu ne dois pas penser que tu me dois ton succès. C'est à toi seul qu'en revient le mérite.

— C'est toi qui m'as insufflé le courage nécessaire, et puis tu m'as acheté le préfabriqué et tu m'as suggéré de transformer l'atelier en galerie. Tu as cru en moi, Lacey. Sans toi, je n'aurais rien fait et je n'en serais pas là.

— Mais enfin, je n'ai rien fait d'autre que t'aider. Le projet, c'était le tien. Je...

Soudain, elle s'interrompit, reconnaissant dans sa propre bouche les mots de Max : « Je n'ai rien fait d'autre que t'aider. » C'était exactement la phrase qu'il avait prononcée, lors de leur dispute. Mais alors, elle était si furieuse qu'elle avait refusé de le croire. Elle avait nié, comme Jasper en ce moment. Pourtant, le succès de la galerie, il ne le devait qu'à lui-même. Il avait tort de ne pas la croire.

Avait-elle donc eu tort de ne pas croire Max ?

Elle repensa aux commentaires élogieux de Wade, à son empressement à lui demander constamment son avis, depuis qu'elle avait intégré la Wellington. Et si son frère ne la complimentait pas uniquement pour se dédouaner de son sentiment de culpabilité envers elle ? Peut-être qu'il pensait vraiment ce qu'il lui disait... Finalement, à l'instar de Jasper, sous-estimait-elle ses mérites ?

Plongeant son regard dans celui de son oncle, elle déclara, les yeux mouillés d'émotion :

— Je suis honorée et touchée, oncle Jasper.

Là-dessus, elle l'enlaça longuement. Se dégageant doucement de son étreinte, Jasper la prit alors par les épaules et lui dit d'un ton ferme :

— Et maintenant, va voir Max et rends-lui le goût de la vie. C'est un homme bien, Lacey, et depuis que tu es parti, il erre comme une âme en peine.

Elle ne protesta pas. Ne feignit pas l'indifférence. Jasper avait raison. Elle devait voir Max de toute urgence. Ce qu'elle venait de comprendre la délivrait d'un énorme fardeau. Tel un mauvais sortilège qui aurait perdu ses pouvoirs.

Abandonnant Jasper à ses invités, elle partit à la recherche de Max. Croisant sur son passage des objets et des personnes des plus curieux, tels qu'une baignoire en plexiglas remplie d'eau bleue sur laquelle glissaient des canards en caoutchouc violet ou encore un trio de jeunes gens aux cheveux vert vif en train de siroter une liqueur de même couleur.

Enfin, elle le vit, près de la tour Eiffel en carton-pâte. Alors, ses yeux firent brusquement le point sur sa silhouette et tout alentour se brouilla. Elle voulut s'élancer vers lui, mais dut jouer des coudes car la foule était dense. Finalement, elle arriva à sa hauteur, tout essoufflée et fort nerveuse.

N'avait-il pas un peu maigri ? Telle fut la première interrogation qui lui traversa l'esprit. Et ses traits ne s'étaient-ils pas creusés ? Il portait une chemise en lin beige clair et un pantalon kaki de la même matière. Voilà, c'était le vrai Max McLane qui se tenait devant elle. Exit le cow-boy. Elle fut heureuse de constater que cette métamorphose n'avait aucune influence sur les sentiments qu'elle ressentait pour lui.

— Lacey…

Ses yeux s'allumèrent brusquement en la voyant, et aussitôt elle y lut un désir irréductible. Ses prunelles noires et brûlantes la déshabillaient littéralement.

— Max…

Une vague de chaleur la submergea tout entière. Jamais elle ne s'était sentie si vivante. Elle aurait voulu se jeter dans ses bras, s'y blottir, comme un oiseau qui rentre au nid. Elle dut lutter contre son impulsion. Ils devaient d'abord parler, chaque chose en son temps.

— Redis-moi pourquoi tu as accepté de superviser la rénovation du café, lui dit-elle alors. Je crois que, maintenant, je suis prête à l'entendre.

Sa demande parut le surprendre, mais il répondit néanmoins :

— Wade m'a demandé de lui rendre un service et…

— Non, ça je le sais. C'est la partie concernant ta volonté de m'aider qui m'intéresse.

— Ah, très bien ! Mon job consistait à t'aider, c'est-à-dire à vérifier le budget, éventuellement le gonfler…

— Mais c'était mon idée et mon travail, n'est-ce pas ? Peu importe ce que Wade ou toi avez fait ?

— Naturellement ! Le *Salon des merveilles*, c'est ta création, ton succès. Mon intervention ou celle de Wade n'y change rien.

Pour la première fois, elle écoutait ce qu'il lui disait à ce sujet, sans éprouver la moindre méfiance, sans se mettre sur la défensive.

— Et ce que Wade ou toi pensez ne change rien non plus, ajouta-t-elle lentement, les yeux encore une fois brouillés de larmes. Je cherchais à tout prix à obtenir la considération de Wade alors que, ce qui importe, c'est le regard que moi je porte sur mon propre travail. Tout ce dont j'avais besoin, c'était de croire en moi.

A ces mots, Max esquissa un petit sourire amusé et hocha la tête :

— Absolument.

L'enveloppant de son regard — un regard chaleureux et plein d'amour —, il ajouta :

— Quant à ma considération, tu sais qu'elle t'est acquise, Lacey.

— C'est bien vrai ? Tu es sérieux ?

— Comment pourrais-je ne pas l'être ? Tu es une femme si intelligente et si déterminée. Et tellement attentive aux autres ! Tu as transformé cet endroit en un lieu extrêmement convivial, tout en faisant profiter Jasper de ton succès. Et regarde ce que tu as fait pour Ramòn et sa famille. Lacey ! Tu es encore bien mieux que Wonderwoman.

Il paraissait réellement sincère et fier d'elle. Comment avait-elle pu imaginer vivre sans lui ? Son manque de confiance en elle l'avait aveuglée. Jusqu'à ce que Jasper lui ouvre les yeux. Son cœur vibrait à présent de tout l'amour qu'elle ressentait pour Max et elle regrettait sa stupidité.

— Pardonne-moi de t'en avoir voulu, murmura-t-elle.

— Pardonne-moi de t'avoir menti, dit-il à son tour.

— Tu as raison, avoua-t-elle alors, ma place est ici. Au fond, travailler au sein de la Wellington, ce n'est pas réellement ce qui m'intéresse. Je viens de m'en rendre compte en revenant ici. Quand je suis arrivée, c'était comme si je rentrais à la maison.

— Toi aussi, tu avais raison, je me faisais des illusions en voulant travailler dans le bâtiment. J'aime mon métier, mais les conditions dans lesquelles je l'exerçais ne me satisfaisaient pas car j'ai besoin de liberté. Je viens d'ouvrir une société de consulting.

— C'est ce que Jasper m'a dit.

— J'ai déjà six clients, et j'ai l'intuition que mon affaire va bien marcher dans la région. Il y a un réel potentiel, les gens ont de bonnes idées, ils ont juste besoin d'un peu d'aide. Je suis leur homme.

Elle lui sourit alors avec une infinie douceur et déclara :

— C'est merveilleux, Max. J'en suis ravie pour toi.

Il lui rendit son sourire. Finalement, peut-être n'avait-il pas besoin d'elle ? se demanda-t-elle fugitivement avant d'ajouter :

— Je présume que tout va comme tu le veux.

— Pas tout à fait, dit-il alors d'une voix plus rauque, tandis que dans ses yeux dansa cette flamme si sexy, qui traduisait le désir qu'il éprouvait pour elle et qu'elle connaissait si bien. Il me manque encore quelque chose pour être complètement heureux.

Elle n'eut pas besoin de lui demander quoi. Sans crier gare, il la prit dans ses bras et l'embrassa avec passion. Quant à lui, il lui signifiait que son cœur lui était à jamais acquis.

Ce baiser — tout comme tout à l'heure la vue du café — lui donna l'impression d'être définitivement revenue à la maison. C'était un baiser à la fois prometteur et rassurant.

Et si torride qu'elle se sentait littéralement fondre dans ses bras. Elle dut se faire violence pour ne pas lui retirer ses vêtements. Soudain, il détacha sa bouche de la sienne et, le souffle court, lui demanda :

— Alors, est-ce que tu me crois maintenant, quand je te dis que je t'aime ?

— Si je te crois quand quoi… ? fit-elle d'un ton lascif tout en souriant, les yeux perdus dans le vague.

— Si je comprends bien, il faut donc que je mette les points sur les i !

Alors, de nouveau, il l'embrassa avec effusion.

— C'est bon, je te crois, lui dit-elle ensuite, essoufflée.

— Ouf, fit-il en lui décochant un sourire canaille. Car sinon, je n'aurais pas hésité à te déshabiller et à te faire l'amour devant tous ces gens !

Soudain, elle regarda alentour. Un demi-cercle s'était formé autour d'eux : Jasper, Ramòn, Buck, Wade et sa danseuse orientale, drapée dans une robe de soirée violette. Tout le monde leur souriait.

— Il semblerait que tu sois sur le point de me faire une autre faveur, Max, dit alors Wade.

— C'est-à-dire ?

— Rendre ma sœur heureuse.

— Ce n'est pas une faveur, mais un honneur, cher ami.

Puis, se tournant vers Lacey, il ajouta, le regard débordant de tendresse :

— Et c'est ce à quoi je veux consacrer tout le restant de mes jours. Me le permettras-tu, Lacey ?

— Dans la mesure où tu m'autorises à te rendre la pareille, répondit-elle.

— Marché conclu.

Soudain, un sourire malicieux éclaira ses traits et il ajouta :

— En réalité, Lacey, ton retour est tout à fait opportun. Car il y a un autre projet que tu vas devoir prendre en charge. Notre complexe comprend un café, un théâtre, un vivarium, une galerie, mais il manque encore quelque chose.

— Quoi donc ? s'exclama Wade, surpris.

— Une chapelle, fit Max en couvant sa dulcinée du regard.

— Une chapelle ? s'exclama Wade.

… Tandis que Lacey s'écriait :

— Oh, Max !

Elle souda alors son regard au sien, le cœur rempli d'allégresse. Avec Max, elle venait de découvrir que la passion et la complicité ne s'excluaient pas, mais débouchaient tout simplement sur le grand amour. Elle n'arrivait pas encore à le croire. Elle nageait en plein conte de fées.

— Et je sais qui seront les premiers clients, compléta Max avant d'embrasser de nouveau délicatement ses lèvres.

Alors elle eut la sensation que son âme se levait pour aller à la rencontre de la sienne. Tous les gens alentour se fondirent dans une sorte de brume tandis que Max devenait de plus en plus réel.

— Lacey, demanda-t-il en détachant sa bouche de la sienne, veux-tu m'épouser ?

Elle le regarda droit dans les yeux. Ce n'était ni un cow-boy, ni un comptable qui se tenait devant elle, mais simplement Max, l'homme qui l'aimait, la soutenait et la respectait. L'homme de sa vie, dont elle était éperdument amoureuse.

— Oui, Max… A une condition.

Elle lui lança alors un regard mutin.

— Laquelle ? demanda-t-il, vaguement inquiet.

— Que tu portes un Stetson, le jour de la cérémonie.

— Pardon ?

— Oh, je t'en prie ! Comment te dire… ? Ce chapeau de cow-boy, ça me fait un tel effet.

— Comment te dire… ? reprit-il en écho. Cette demande, c'est tellement toi ! J'accepte la condition.

Ils éclatèrent de rire, puis redevinrent soudain très sérieux avant de s'embrasser de nouveau, sous le regard attendri des êtres chers qui les entouraient. Un baiser enflammé, si torride que Lacey reculait, reculait sous la pression de Max… A telle enseigne qu'ils finirent par heurter la sculpture en forme d'immense cône de glace. Elle bascula dangereusement vers l'arrière avant de s'incliner vers l'avant, tel un ressort, et de les cogner au passage. Ils s'en rendirent à peine compte. Ce petit coup, c'était bien peu de chose en comparaison de l'amour fou qui leur était tombé sur la tête !

Le nouveau visage
de la collection Or

◆

AMOURS D'AUJOURD'HUI

Afin de mieux exprimer sa modernité et de vous séduire encore davantage, votre collection Or a changé de couverture et de nom depuis le 1er mars 1995.

Rassurez-vous, les romans, eux, ne changent pas, et vous pourrez retrouver dans la collection **Amours d'Aujourd'hui** tous vos auteurs préférés.

Comme chaque mois, en effet, vous y attendent des héros d'aujourd'hui, aux prises avec des passions fortes et des situations difficiles...

COLLECTION
AMOURS D'AUJOURD'HUI :
Quand l'amour guérit des blessures de la vie...

Chère lectrice,

Vous nous êtes fidèle depuis longtemps?
Vous venez de faire notre connaissance?

C'est pour votre plaisir que nous avons
imaginé un rendez-vous chaque mois
avec vos auteurs préférés, vos
AUTEURS VEDETTE dans les
collections Azur et Horizon.

Les AUTEURS VEDETTE vous
donneront rendez-vous pour de
nouveaux livres vedette.

Pour les reconnaître, cherchez
l'étoile... Elle vous guidera!

Éditions Harlequin

HARLEQUIN

LE FORUM DES LECTEURS ET LECTRICES

CHERS(ES) LECTEURS ET LECTRICES,

VOUS NOUS ETES FIDÈLES DEPUIS LONGTEMPS?

VOUS VENEZ DE FAIRE NOTRE CONNAISSANCE?

SI VOUS AVEZ DES COMMENTAIRES, DES CRITIQUES À
FORMULER, DES SUGGESTIONS À OFFRIR, N'HÉSITEZ
PAS… ÉCRIVEZ-NOUS À:
      LES ENTERPRISES HARLEQUIN LTÉE.
      498 RUE ODILE
      FABREVILLE, LAVAL, QUÉBEC.
      H7R 5X1

C'EST AVEC VOS PRÉCIEUX COMMENTAIRES QUE NOUS
ALLONS POUVOIR MIEUX VOUS SERVIR.

DE PLUS, SI VOUS DÉSIREZ RECEVOIR UNE OU
PLUSIEURS DE VOS SÉRIES HARLEQUIN PRÉFÉRÉE(S)
À VOTRE DOMICILE, NE TARDEZ PAS À CONTACTER LE
SERVICE D'ABONNEMENT; EN APPELANT AU
(514) 875-4444 (RÉGION DE MONTRÉAL) OU 1-800-667-4444
(EXTÉRIEUR DE MONTRÉAL) OU TÉLÉCOPIEUR
(514) 523-4444 OU COURRIER ELECTRONIQUE:
AQCOURRIER@ABONNEMENT.QC.CA OU EN ÉCRIVANT À:
      ABONNEMENT QUÉBEC
      525 RUE LOUIS-PASTEUR
      BOUCHERVILLE, QUÉBEC
      J4B 8E7

MERCI, À L'AVANCE, DE VOTRE COOPÉRATION.

BONNE LECTURE.

HARLEQUIN.

VOTRE PASSEPORT POUR LE MONDE DE L'AMOUR.

<u>COLLECTION HORIZON</u>

Des histoires d'amour romantiques qui vous mènent au bout du monde!

Découvrez la passion et les vives émotions qu'apportent à la Collection Horizon des auteurs de renommée internationale!

Captivantes, voire irrésistibles, ces histoires d'amour vous iront assurément droit au coeur.

Surveillez nos trois nouveaux titres chaque mois!

69 L'ASTROLOGIE EN DIRECT
TOUT AU LONG
DE L'ANNÉE.

(France métropolitaine uniquement)
Par téléphone 08.92.68.41.01
0,34 € la minute (Serveur SCESI).

Composé et édité
PAR LES ÉDITIONS HARLEQUIN
Achevé d'imprimer en octobre 2003

BUSSIÈRE
GROUPE CPI

à Saint-Amand-Montrond (Cher)
Dépôt légal : novembre 2003
N° d'imprimeur : 35435 — N° d'éditeur : 10197

Imprimé en France